FFLAM

Elwyn Roberts

GWASG GEE
DINBYCH

ISBN 0 7074 0352 9

Dymuna'r cyhoeddwyr gydnabod cymorth
Adrannau Cyngor Llyfrau Cymru.

Argraffwyr a Chyhoeddwyr:
GWASG GEE, DINBYCH, SIR DDINBYCH

Cyflwyniad

Y *fflamau* yn y gyfrol hon yw rhai emosiynol plentyndod a llencyndod awdur a bardd, na sylweddolai ar y pryd fagwraeth mor gyfoethog a gafodd yng nghefn gwlad Llŷn yn y pedwar a'r pum degau.

Mae'n gyfrol sy'n gyforiog o atgofion synhwyrus am ffordd o fyw sydd bellach wedi darfod o'r tir – yn blethiad cain o'r dwys a'r doniol.

Stori garu yw hi yn ei hanfod yn troi o gwmpas carwriaeth glaslanc diniwed, gwladaidd, a wrthodwyd gan ei gariad cyntaf. Er cymaint ysgeg oedd hynny, yn hytrach na'i droi yn llencyn claf o serch bu'r profiad yn sbardun iddo wella ei hun trwy ddysg, wedi i'r gyfundrefn a ofalai am ei addysg gynnar fethu â'i gael i sylweddoli ei werth ei hun fel unigolyn.

Y mae'n stori y bydd llawer o'm cenhedlaeth i yn ei chael yn hawdd uniaethu â hi a'i chefndir. Ac er y bydd y cefndir hwnnw yn ddieithr i'r genhedlaeth iau o ddarllenwyr *streetwise* y cyfnod hwn, yr un yw'r teimladau sylfaenol hynny rhwng mab a merch ym mhob oes, er gwaethaf pob rhyw ryfyg allanol. Yr un yw gwewyr cariad cyntaf, a'r un yw trybestod gwrthryfel ieuenctid yn erbyn hen werthoedd.

Dim ond un rhan o apêl y gyfrol deimladwy hon yw'r modd y mae Elwyn Roberts yn gadael i'w feddwl grwydro yn barhaus oddi ar lwybr y brif stori i ddilyn sawl sgyfarnog – rhai ohonyn nhw yn greaduriaid digon brith! Ond er bod yma hwyl a chwerthin, y mae cydymdeimlad hefyd. Hwyl, sy'n cyfleu hoffter o'r cymeriadau a bortreadir. Chwerthin, sydd heb fod yn chwerthin am ben neb.

Er bod i'r gyfrol ei swyn a'i rhamant cwbl arbennig ac er nad yw ôl llaw y bardd synhwyrus byth ymhell oddi wrthi, nid portread rhamantaidd, unllygeidiog mo hwn. Nid oes yma guddio gwendidau, culni, diffygion na chaledi hen ffordd o fyw. Mae'r briwiau a'r creithiau i'w gweld hefyd. Codir cwestiynau sylfaenol am agweddau crefyddol a methiant alaethus y gyfundrefn addysg i gymell, meithrin a rhoi plant ar ben ffordd. Gwneir hynny heb na phregethu na llambastio. Cyffyrddiad ysgafn prydydd teimladol yw un Elwyn Roberts, ond un sy'n gadael ei ôl serch hynny.

Ac y mae yma ddiddordeb angerddol mewn pobl a pharch at y gwareidd-dra hwnnw sy'n hanfod cymdeithas ar ei gorau.

Yn ffodus, nid yw byth yn anghofio ychwaith fod i gymdeithas ac i bobl eu hochr ddoniol ac y mae digon yn y gyfrol hon i wneud inni wenu a chwerthin.

Yr wyf yn ei theimlo'n fraint i Elwyn Roberts ymddiried ei chynnwys imi cyn ei hanfon i'w chyhoeddi, gan rannu hanes gwewyr y llanc ifanc o Lŷn a gafodd wared â'i gywilydd o'i gefndir gwledig trwy sylweddoli gwir gyfoeth a chadernid y bywyd hwnnw.

Glyn Evans

Diolchiadau

Ynyr Williams, Ffilmiau Salem, Caerdydd, am ddatgan diddordeb mewn gwneud ffilm yn seiliedig ar fy awdl 'Fflamau', a gofyn imi roi dipyn o gig ar yr asgwrn trwy sgwennu hanes fy mywyd cynnar, a achosodd i atgofion fyrlymu, nes chwyddo fy nodiadau prin yn llyfr.

Dic Goodman, a honnodd na allai ollwng y sgript o'i law wedi dechrau darllen, ac a'm hanogodd yn frwd i gwblhau'r gwaith a cheisio cael ei gyhoeddi.

Derwyn Jones am ei sylwadau buddiol er mwyn gloywi'r iaith.

Glyn Evans am Gyflwyniad i'r llyfr.

Eirlys Gruffydd am ei geiriau caredig sydd ar gefn y clawr.

Cyngor Llyfrau Cymru am ei gefnogaeth.

Gwasg Gee am gydweithrediad parod a gwaith destlus.

Bob Bridges, Caer, am lun y clawr o Raeadr Aber.

Siân a **Gwion** (fy merch a fy mab) am fod yn fodelau yn y llun.

I Heulwen, ac Awena – yn fore
adferodd fy ngyrfa;
a'r rhai, mewn cof a barha,
sy'n emau y sôn yma.

Rhagair

Hanes digwyddiadau yn ystod fy chwarter canrif cyntaf a adawodd fwyaf o'u hôl ar fy mywyd a gofnodir yma. Sonnir am fy ngwreiddiau sy'n ddwfn yn naear Llŷn, fy nghefndir amaethyddol a chrefyddol, fy ngwrthryfel cynnar yn erbyn y gymdeithas y'm magwyd ynddi, a'r hiraeth amdani wedi imi ddewis ei gadael. Amlygir gwendidau fy addysg elfennol, a achosodd imi deimlo'n ansicr yn fy amgylchfyd newydd wedi imi fynd yn brentis i Fangor. Crybwyllir fy nghyffro rhywiol cyntaf, fy ffantasïau arwrol, fy serch plentynnaidd a lesteiriwyd, ac aflwyddiant fy ngharwriaeth gyntaf yn ddwy ar bymtheg oed. Profiad ingol ar y pryd a chwyldrodd fy mywyd er gwell – damwain emosiynol a'm symbylodd i wneud ymdrech aruthrol i wella fy hun, nes ennill anrhydedd academig, a roddodd imi fywoliaeth ddiddorol gwyddonydd ymchwil. Hefyd, tybiaf i'r un profiad ailgynnau fflam farddol ynof a oedd wedi'i diffoddi'n anfwriadol gan athrawes ysgol uwchradd.

Pan yrrais nofel i gystadleuaeth yn yr Eisteddfod Genedlaethol, tuag ugain mlynedd yn ôl, yr unig un imi ysgrifennu erioed, cefais feirniadaeth ddeallus a thipyn bach o ganmoliaeth. Prif osodiad y foneddiges garedig cyn cloi ei sylwadau ac atal y wobr oedd, 'Mae'n rhaid i nofel bob amser fod yn gredadwy', a awgrymai nad oedd fy ymdrech i felly. Y ffaith oedd mai hanes gwir am fy mhrofiadau yn ystod fy 'ail-lencyndod' oedd y nofel. Dim ond enwau'r cymeriadau oedd wedi'u newid, a dychmygol oedd y diwedd, credadwy iawn, sydd eto i'w gyflawni. Nid ffrwyth dychymyg yw'r hanes sydd yn y llyfr presennol ychwaith, ond atgofion am brif ddigwyddiadau fy mhlentyndod, a'm llencyndod (cyntaf), sydd wedi crisialu yn fy nghof. Newidiwyd enwau dwy o'r merched y sonnir amdanynt.

Fel yr ymddengys i'r digwyddiadau a bortreadwyd yn fy nofel fod y tu hwnt i ddirnadaeth y beirniad tuag ugain mlynedd yn ôl, felly hefyd fy awdl 'Fflamau' yn Eisteddfod cadair wag Bro Ogwr, Awst 1998. Bu'n bwnc cyfres o erthyglau yn *Y Cymro*, gyda her i rai o dan ugain oed ddehongli'r awdl, a gyhoeddwyd yn y papur hwnnw ar

Hydref 14, 1998. Llwyddodd Aneirin Karadog, un ar bymtheg oed o Bontypridd, wedi i feirniaid y Genedlaethol fethu â darganfod unrhyw fflam ynddi. Mae'r awdl o bwys yma, gan mai'r ynni meddyliol a'i creodd a roes fod i'r llyfr hwn o dan yr un teitl hefyd.

Bwriedir i'r hanesion amlygu dylanwad profiadau cynnar ym myd addysg a serch, gan awgrymu mai hap yw llawer o ddigwyddiadau'r tiriogaethau hynny. Tybiaf fod fy hynt yn profi dysgeidiaeth y seicolegydd enwog Alfred Adler, y gall teimlad o israddoldeb gynhyrchu ynni creadigol a gyrru person i lwyddo. Yn ogystal â boddhad o wneud darganfyddiadau gwyddonol a dyfeisiadau newydd, cefais lawer o bleser trwy ddatgan fy nheimladau ar ffurf barddoniaeth. Cynhwysir amryw o gerddi cysylltiol â'r storïau o'm plentyndod cynnar ymlaen, a therfynu gyda'r awdl, sy'n adlewyrchiad o rai o fflamau mwyaf llachar fy mywyd.

Yr un reddf, mae'n debyg, a'n hanogai i gyd-gerfio ein henwau ar goed a llechi pan oeddym yn ifanc sy'n ein cymell i sgwennu hanes ein bywydau; yr awydd i adael ein hôl yn y byd, i oroesi gyda'n gilydd.

Mae'r syniad o barhau am byth mewn llên rhwng cloriau llyfr yng nghwmni'r bobl a edmygais, neu a gafodd fwyaf o effaith ar fy rhawd ar y Ddaear yn fy nghysuro ar drothwy henoed. Gobeithio y cewch gymaint o foddhad wrth ddarllen yr hanesion ag a gefais i wrth ail-fyw llawer o'r profiadau.

E.R.

Y Plygain

Cariadon

Mae yn fy meddiant lythyr caru gan fy nhad at fy mam, mewn amlen gyda marc post Mai 1931 arni. Wedi datgan cryfder ei serch tuag ati, yn fwy barddonol yn wir nag a fentrais i sgwennu at ferch erioed, mae'n egluro na ddaethai i'w chyfarfod y noson cynt am fod arwyddion glaw. Felly, a chofio nad oedd ond prin ddwy filltir rhwng eu cartrefi, rhyfeddod yw fy mod i yma o gwbwl. Ond efallai mai cyfrwystra oedd ar ran Robat Huw (fel y gelwid fy nhad) i beidio ag ymddangos yn or-eiddgar yn rhy gynnar yn y garwriaeth. Gwers mewn seicoleg garwriaethol a gymerodd i mi flynyddoedd lawer i'w dysgu. Sut bynnag, y ffaith yw iddynt – Robert Huw Roberts (32) ac Elisabeth Mai Jones (21) briodi yn Eglwys y Plwyf, Llangïan, ar Chwefror y chweched 1932, a mynd am ychydig o ddyddiau o'u mis mêl i aros efo perthnasau yn Garston, Lerpwl; yr unig wyliau a gawsant efo'i gilydd, mi gredaf. Er na fu eu priodas yn ddelfrydol hapus ar hyd y daith, ar lwybr caregog amaethu hen ffasiwn, cefais y teimlad i'w serch cynnar fod yn danbaid a rhamantus iawn. A pha ryfedd, yng nghanol prydferthwch Llŷn, a fynnodd fy nghalon innau.

HANFOD

Yma mae 'ngwreiddiau,
ynghlwm
yn haenau'r tir.
Ohono
fy nyrnaid a fenthyciwyd,
yn yr haf meddal
a geulodd
yn seler fy ymwybod.
Bryniau
mewn pabell sidan
a grug yn fronglwm arnynt,

yr haul yn nodwyddau
trwy goed Nanhoron,
y ddau
ym mreichiau anian;
anadl ar wallt,
Awst yn dwr o wenith,
a berw'r dŵr
yn gwrlid o galonnau.
Llethrau esmwyth,
a'r golud ar eu godre,
hyfrydwch llwyni pigog
y blodyn aur,
a mân ffrwydradau'r tes
yn dryllio'r codau
gan fwrw'r had
i awch y pridd. (1975)

Fy rhieni ar ddydd eu priodas.

Profiad rhyfedd i mi, wedi i 'Nhad farw yn Nhachwedd 1962, oedd mynd efo'r Parch. A. O. J. Thomas, rheithor y plwyf bryd hynny, ar noson dywyll, stormus, i gael y manylion angenrheidiol am briodas fy rhieni oddi ar gofrestr a gedwir mewn cist ym mur Eglwys Llangïan. Troi'r allwedd rydlyd a'r drws dur yn agor gydag ochenaid. Ymddangosai fel pe byddai amser wedi sefyll yn llonydd yn y gist am dros ddeng mlynedd ar hugain. Tynnu'r llyfr allan yn ofalus a chwilio'r tudalennau. Heb fawr o drafferth, canfod llofnodau'r ddau annwyl ar ddiwrnod eu hadduned, a'r inc fel pe bai newydd sychu. Dyma ddau englyn a ysbrydolwyd gan yr achlysur:

EGLWYS SANT CÏAN

Yno trwy wyll . . . Troi allwedd, a gweled
perl gelwyd rhag llygredd –
yr enwau coeth o'r anwedd,
yn y mur yn bur er bedd.

Llofnodau dau, olion dwys, a erys
yn arwydd mewn eglwys,
o roi'r gwŷdd ar ddechrau'r gwys –
priodas tir Paradwys. (Ionawr 2000)

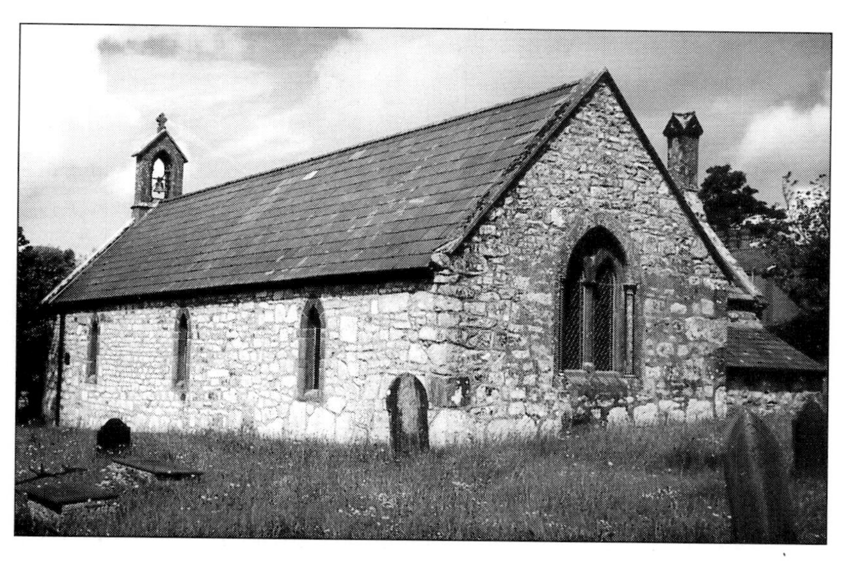

Eglwys y Plwyf, Llangïan.

Syndod

Gyda help Nyrs Williams o Abersoch, ar y dydd cyntaf o Chwefror 1933 y gwelais i olau dydd gyntaf, drwy ffenestr llofft-fawr fel y'i gelwid. (Derbyniais lythyr gan Nyrs Williams pan enillais Goron yr Eisteddfod Genedlaethol ym 1975, yn fy llongyfarch, a hawlio cyfran o'r clod.) Bu fy ngenedigaeth fis ynghynt nag y disgwylid; er mai bod yn hwyr a fu fy hanes ar bob achlysur bron wedi hynny. Dyna'r esgus pam nad oedd crud yn barod, ac imi gael fy nghadw mewn drôr nes iddyn nhw brynu un. Deallais hefyd i 'Nhad gael braw fy mod i wedi cyrraedd erbyn iddo ddychwelyd o farchnad Pwllheli, lle roedd o wedi mynd â moch bach i'w gwerthu efo trol â cheffyl. Ac wedi anghofio mynd â'i *mobile phone* efo fo mae'n rhaid!

Ac yno, ar fferm fechan 36 erw o'r enw Ty'n-y-cae (Tyncae ar lafar), tua chwarter milltir o bentref tlws Llangïan i gyfeiriad Porthneigwl, y cefais fy magu.

Tyncae ers talwm.

Roedd Taid a Nain, sef Thomas a Jane Jones, a'u merch ddwyflwydd oed a ddaeth yn fam imi wedi symud yno i fyw ym 1913 o Foel-bach, tyddyn ym Mynytho.

Mab Coed-y-fron, Mynytho, oedd fy nhad, a ddaeth i fyw i Dyncae, wedi iddo briodi'r ferch, gan gymryd baich y ffermio fwyfwy oddi ar ysgwyddau fy nhaid fel y treiglai'r blynyddoedd.

Pan oeddwn i tua dwyflwydd oed, daeth Taid a Nain o'r ochr arall, sef Robert Roberts ac Elin ei ail wraig a'u mab, Gwilym (hanner brawd fy nhad), o Goed-y-fron i fyw ar fferm Tan-yr-allt, am y terfyn â Thyncae. Roedd hyn yn gyfleus iawn gan y cydweithai'r ddau deulu lawer, yn arbennig ar amseroedd hau a chynaeafu gwair ac ŷd. Tyfais innau gan gyfri 'Tarallt' yn ail gartref croesawgar, lle dihangwn pan fyddwn wedi troseddu yn fy nghartref cyntaf.

Roedd llwybr rhwng fy nghartref a Tharallt o gamfa'r Gadlas-isa, ar draws Cae-beddau a chroesi'r bompren dros ffrwd y Weirglodd; croesi dau gae wedyn, a dyna fi yn noddfa fy ail gartref. Taith bell imi pan ddechreuais fynd fy hun yn bedair oed, ac yn llawn rhamant. Ni chofiaf gerdded y llwybr hwnnw ond yn y gwanwyn a'r haf, pan welwn ryfeddodau lawer. Wrth fynd yn ddigon araf a distaw at y bompren cawn weld brithyll yn dianc, fel dart drwy'r dŵr. Yno hefyd y gwelais neidr yn nofio. Doedd gweld neidr ddim yn syndod imi achos roedd dwsinau o'i 'gweision' yn hedfan o gwmpas. Unwaith gwelais hwyaden wyllt efo tua deg o gywion bach, bach yn ei dilyn. Mewn amrantiad suddodd y cywion i ddŵr y ffrwd, a'r fam hunanaberthol yn ffugio llesgedd ar y lan er mwyn tynnu fy sylw oddi ar ei phlant. Gallaf y funud hon ogleuo'r mintys gwyllt oedd yn tyfu yno, a chlywed rhugl rhegen-yr-ŷd a guddiai rywle yn y gwair.

Mae crybwyll ffrwd y Weirglodd rŵan yn fy atgoffa mai ar ei glan yr yfais i de gynta 'rioed. Roedd hynny cyn i Nain a 'Nhaid ddod i fyw i Darallt. Gweithiai fy nhad ar y terfyn y bore hwnnw, a minnau wedi cael mynd efo fo. Daeth hen wraig glên atom a chynnig cwpaned o de i Dad, o fasged wiail a gariai. Derbyniodd yntau'r te yn ddiolchgar a thywalltwyd ychydig ohono i soser er mwyn iddo oeri'n sydyn, i mi gael llymaid. Cofiaf flas y te hwnnw hyd heddiw, ac erbyn hyn gwn mai mam John Roberts, cyn-drefnydd yr Eisteddfod Genedlaethol yn y Gogledd, oedd yr hen wraig.

Hoffwn gwmni Nain Tarallt yn fawr, gan y cawn fwy o raff ganddi hi nag yn fy nghartref. Hefyd, amheuaf fod gan flas ei chrempogau, ei thorth gri, a'i thartan gyraints rywbeth i'w wneud â'r atyniad. Er, roedd ei disgyblaeth yn llym bryd bwyd. Cyn cael pwdin amser cinio roedd yn rhaid imi fwyta pob tamaid o'r cwrs cyntaf oddi ar fy mhlât a'i lanhau efo darn o fara, gan fod y pwdin yn cael ei roi ar yr un plât. Heb fwyta'r tatw a'r cig doedd dim gobaith cael pwdin. Ac roedd pwdinau

Nain yn werth yr ymdrech bob amser, yn arbennig ei roli-poli jam, sy'n tynnu dŵr o fy nannedd wrth feddwl amdano.

Byddai Taid Tarallt yn mynd i farchnad Pwllheli bob dydd Mercher efo'r 'moto coch' fel y galwai'r bws, oherwydd ei liw llachar. Gadawai am ddeg o'r gloch y bore a dychwelyd am ugain munud wedi chwech.

Nain a Taid Tarallt.

Golygai hyn fod Nain a minnau ein hunain yn y tŷ am rai oriau. Erbyn amser te, byddai Nain wedi cwblhau dyletswyddau'r dydd, gyda rhywfaint o help gen i efallai, gan y byddai'n rhoi tasgau i mi, fel twtio'r dresal, a oedd efo dyrnau'r cypyrddau a'r droriau o wydr tryloyw. Ac unwaith, gofynnodd imi fynd i hel wyau o'r cwt ieir. A minnau ddim ond pedair neu bump oed, i ffwrdd â fi i'r cwt, canfod hanner dwsin o wyau cynnes, eu rhoi yn fy mhocedi a rhuthro tua'r tŷ yn llawn brwdfrydedd. Ond yn anffodus, llithrais ar y buarth, nes troi'r wyau oll yn gwstard melyn oddi mewn i'm pocedi. Mewn dychryndod ac euogrwydd, yn hytrach na wynebu Nain ac addef fy mhechod, es i guddio fel Adda gynt, mewn hen dwll chwarel ym mhen draw'r buarth. Wedi blino yno, yn y diwedd mentrais i'r tŷ. Pan gyrhaeddais roedd yno gyfeillion i Nain wedi galw heibio, ac yn sgwrsio'n llawen yn y gegin. Roedd Nain yn fodlon, dew, a byddai'n chwerthin nes bod ei bronnau'n bowndio i fyny ac i lawr. Minnau yn dweud celwydd gwyn, nad oedd wyau yn y cwt, ac yn cadw fy nghôt amdanaf, a'r hylif llithrig erbyn hyn yn gwlychu drwodd at fy nghroen.

Efallai fod torri'r wyau neu bresenoldeb yr ymwelwyr wedi rhwystro Nain y prynhawn hwnnw, ond ar bnawniau tebyg fel arfer dywedai gyda thinc o gyfrinach yn ei llais, 'Be wnawn ni heddiw i de i ni'n dau?' Y dewis arferol fyddai torth gri neu grempog. Roedd y dull o goginio'r naill a'r llall yn ddigon tebyg. Darn fflat, sgwâr, o fetel a alwai Nain yn radall, ar drybadd yn y gegin allan dros dân coed; rhwbio'r radall efo saim a rhoi'r cymysgedd arni. Crempogau oedd orau gen i, a Nain yn honni mai rhai bychain, dim llawer mwy na cheiniog (yr hen bres) oedd orau eu blas. Ond gwnâi rai mawr hefyd, a chadw rhai ohonynt a oedd ar ôl, wedi i ni gael digon, i Taid a Gwilym.

Roedd gan Taid Tarallt locsyn trwchus iawn, gweddol fyr. Dychrynai fi pan oeddwn yn fychan trwy agor ei geg yn llydan a sydyn, ond tyfais i fod yn ffrindiau mawr efo fo. Âi â fi am dro ar gefn Bes, yr hen gaseg ddu, radlon. Eisteddem ein dau arni; fi o flaen Taid. Heb gyfrwy, awen na phenffrwyn, dim ond cleciadau tafod i gychwyn, ji-yp i gyflymu, a wô i aros. Ond beth am droi i'r dde neu'r chwith, meddech. Dim ond dal llaw allan y naill ochr neu'r llall a byddai Bes yn ymateb yn ôl y gofyn.

Roedd gennym ninnau gaseg ddu efo seren wen ar ei thalcen o'r enw Corwen. Chefais i erioed reid go iawn ar gefn honno, er i Nain fy rhoi i eistedd arni unwaith yn y stabal. Bryd hynny y dwedodd Nain am y tro cyntaf yr hanes amdani'i hun yn eneth ifanc gartref yn dal merlyn trwy roi ceirch mewn bwced ar lawr wrth giât, a thra oedd y merlyn wedi ymgolli yn ei saig â'i ben yn y bwced neidiai Nain ar ei gefn. Ew! Roedd fy narlun dychmygol o Nain yn marchogaeth merlyn gwyllt yn well na dim a welais i erioed ar unrhyw sgrîn fach na mawr.

Er gwell neu er gwaeth

Roedd aelwyd Tyncae, ac un Tarallt i raddau llai yn grefyddol iawn. Taid a Nain Tyncae yn aelodau yng nghapel Smyrna M.C., fy nhad a mam yn mynychu Eglwys y Plwyf, lle roedd fy nain a'm taid arall a Gwilym, eu mab, yn aelodau.

Capel Smyrna.

Bu fy nhad yn aelod gweithgar o'r Eglwys drwy'i oes. Am gyfnod hir bu'n gwneud llawer o swyddi gwirfoddol – tacluso'r fynwent, cynnau tân i gynhesu'r adeilad a goleuo'r lampau paraffîn a'r canhwyllau ar yr allor; a finnau'n fychan yn cael mynd efo fo ac yn sugno'r awyrgylch eglwysig, a rhyfeddu at luniau saint ac angylion yng ngwydr lliw'r ffenestri ac ar y nenfwd. Hefyd sylwn ar gofeb farmor ar y mur, i fy Ewyrth William, meddai Dad, a dagrau heb fod ymhell o'i lygaid wrth egluro mai ar ei ôl o y cefais i fy enw cyntaf.

Roeddwn yn deimladol iawn i'r awyrgylch a greai pobl bryd hynny, ac yn ymwybodol fod dipyn bach o ddrwgdeimlad rhwng aelodau Smyrna ac aelodau Eglwys y Plwyf, a minnau yn y canol yn mynychu'r ddau le ar y dechrau, ond Nain Tyncae enillodd am fod Ysgol Sul gref yn y Capel a dim yn yr Eglwys.

Gwell oedd gen i fynd i'r Eglwys a dweud y gwir. Yn un peth roedd y pregethau yno'n fyrrach na rhai'r Capel, a doeddwn i ddim yn gorfod poeni drwy'r gwasanaeth am ddweud adnod ar y diwedd. Hefyd, doedd dim rhaid imi eistedd yn llonydd mor hir, pawb yn codi a gostwng bob munud. Ac roedd mwy i'm diddori yno – y person fel angel y llun, mewn gwisg wen laes, Mam yn canu'r organ a Dad a Gwilym yn darllen y llithoedd bob yn ail. Gyda'r nos yn y gaeaf pan fyddai'r lampau yn olau, rhyfedd oedd gweld cysgodion pobl ar y pared efo pump o bennau. Darganfyddais hefyd fod cau ac agor fy nghlustiau yn rhythmig efo fy nwylo yn gwneud y canu'n fwy diddorol. Synnwyd fi gan lawer o bethau, fel nad oedd pobol yr Eglwys yn gwybod Gweddi'r Arglwydd i gyd, a bod y person yn codi'r plât casgliad uwch ei ben i ddangos i Iesu Grist faint oedd o wedi'i hel. Penbleth i mi oedd fod y person yn sôn am 'draed gŵydd' mor aml cyn dweud Amen.

Byddai Nain Tarallt yn awgrymu'n gynnil fod Methodistiaid yn wahanol iddyn nhw oedd yn mynd i'r Llan, fel y galwai'r Eglwys, ac adroddai ambell rigwm fel:

> Methodistiaid creulon cas
> Yn mynd i'r capel heb ddim gras;
> Gosod seti i bobol fawr
> A gadael tlodion hyd y llawr.

Gan i ddiwygiad 1904 ddylanwadu'n drwm arni, roedd Nain Tyncae yn ddeddfol biwritanaidd ei hagwedd, ac wedi ymgymryd â gofal a disgyblaeth grefyddol ei hŵyr bach o ddifri. Rhybuddiai fi rhag chwarae na gweithio ar y Saboth, ateb yn ôl, amau'r Ysgrythurau, dweud celwydd, rhegi, cael meddyliau drwg, mynd yn agos i dafarn, na chael genod i drwbwl. Efallai bod yna fwy o rybuddion nas cofiaf erbyn hyn, ond roedd eithriadau – sgwennu a darllen ar y 'dydd sanctaidd' yn gymeradwy, gan gynnwys y *Sunday People*! Ac ar un achlysur cefais drwydded i danio gwn ar ôl dod o'r Ysgol Sul, pan safai hen bioden yn herfeiddiol ar goeden wrth gwt yr ieir gyda'i bwriad yn amlwg.

Nain oedd yn rheoli'r busnes ieir. Roeddynt yn mwynhau penrhyddid, gan grafu yn hapus lle y mynnent, clwydo yn y clawdd drain, a'r mwyafrif yn dodwy ym mhobman ond yn y cwt a baratowyd iddyn nhw. Byddai Nain byth a hefyd yn chwilio am eu nythod yng nghanol mieri a dail poethion ac mewn ymryson parhaus efo'r brain a'r pïod cyfrwys, a fyddai'n llwyddo i ddwyn cyfran helaeth o'r wyau. Helynt arall a amharai ar gynhyrchu wyau, heblaw am ymweliad achlysurol Siôn Blewyn Coch, fyddai ieir yn troi i ori. Y therapi arferol i iâr ori oedd ei rhoi mewn sach, heb na bwyd na diod am rai dyddiau, nes i newyn a syched achosi iddi anghofio ei hawydd i atgenhedlu. Ac os na weithiai'r penyd hwnnw, byddai cryn berygl iddi fod yn rhostio fore Sul at ginio. Dro arall byddai hen iâr wedi llwyddo i orchfygu'r drefn, gan ymddangos efo'i fflyd o gywion bach del o rywle.

Soniais gynnau fod papur dydd Sul yn oddefol gan Nain Tyncae. Câi ei gyfnewid am arian mewn twll yn y wal wrth Giât-lôn, a hynny gan flaenor Smyrna a gadwai siop. Cofiaf i Nain Tarallt gael profiad arswydus wedi iddi hi brynu papur ar y ffordd o'r Llan ar ôl oedfa'r bore. Fan, newydd ddechrau dod i'r pentref ar foreau Sul i werthu papurau sgandal i'r saint, a Nain yn efelychu'r Saeson a ddeuai i oedfa'r Eglwys o Abersoch. Aeth â'r papur adref a'i agor yn llydan o flaen yr hen simnai fawr, y cofiaf weld y sêr drwyddi ar nosweithiau clir, gaeafol. Pan agorwyd y drws allan yn sydyn gan rywun, cipiodd pwff o wynt nerthol y papur o'i dwylo, a diflannodd i fyny'r simnai, fel petasai rhyw ymyriad dwyfol wedi digwydd. Phrynodd yr hen wraig fyth bapur dydd Sul wedi hynny.

Straeon a dirgelwch

Yn ogystal â disgyblaeth, cefais lawer iawn o anwyldeb a gwybodaeth gan Nain Tyncae; gwybodaeth Feiblaidd yn bennaf ond darllenai hefyd nofelau Cymraeg a Saesneg imi, a phethau fel *Cymru'r Plant* a *Thrysorfa'r Plant*, cyn imi ddysgu darllen. Roedd Saesneg Nain Tyncae yn dda, gan iddi dreulio blwyddyn neu ddwy yn forwyn efo teulu yn Lerpwl ar ôl gadael yr ysgol, ond uniaith Gymraeg oedd Nain Tarallt. Cofiaf fwynhau nofelau Daniel Owen oll, hefyd *Treasure Island* a *Robinson Crusoe* a llyfrau tebyg yn gynnar iawn.

Hefyd, dywedai Nain Tyncae hanesion am ei blynyddoedd cynnar yn Eifionydd; wedi'i geni yn Ynyscreua, Brynengan ger Llangybi, ym 1884; hanesion am gymeriadau lliwgar yr ardal honno, a hefyd am fwganod, ysbrydion, canhwyllau corff a thylwyth teg. Cofiai ei thaid, a haerai iddo weld a siarad efo rhai o'r 'bobl fychain', a chlywed angylion yn canu yn yr awyr wrth gerdded adref yn hwyr y nos, a hynny heb gyffwrdd diferyn o 'Laeth y Diafol' meddai Nain. Soniai hefyd am farwolaeth ei thaid; ar ei daith tuag adref o siopio ym Mhen-y-groes efo cert â cheffyl. Cyrhaeddodd yr hen geffyl ffyddlon adref heb help gan ei feistr y tro hwn, a oedd â'i gorff wedi rhewi'n solat yn y cert.

Roedd tad Nain yn ddirgelwch llwyr i mi ac yn parhau felly gan na feiddiais holi pan oedd cyfle, ac mae'n debyg ei bod yn rhy hwyr bellach. Rhywsut, gwyddwn iddi gael ei geni cyn i'w mam briodi, a chael ei magu yng nghartref ei thaid, Ynyscreua, nes y priododd ei mam, Mary Griffiths, â John Jones a chartrefu yn Llwyngwanadl, Bwlch Derwin, rhwng Pant-glas a Chlynnog-fawr, hyd nes y mudodd y tad a'r fam a'u hamryw o blant erbyn hynny i fferm Saethon, ym Mhen Llŷn. Ym mlynyddoedd cynnar yr ugeinfed ganrif y bu hynny. Parhaodd perthnasau i fyw yn Llwyngwanadl tan tua 1950, pryd y gwerthwyd y fferm i gwmni sy'n dal i godi gro o'r tir yno.

Pan ddechreuais ymhel â barddoniaeth yn wyth oed, cofiaf hen wraig ddiwylliedig a thrwm iawn ei chlyw yn galw heibio Tyncae ambell dro – Mrs Jane Thomas, Foel-bach, Mynytho, yr un lle ag y bu Taid a Nain Tyncae yn byw cyn hynny. Roedd yn fardd da mi glywais wedyn, ac wedi ennill gydag englyn yn Eisteddfod Ffair y Byd yn Chicago. Awgrymodd Mrs Thomas mai'r rheswm fy mod i yn dipyn o fardd oedd am fy mod yn perthyn iddi hi, ac i feirdd adnabyddus eraill o ardal yr Wyddfa gan gynnwys Robin Ddu Eryri. Roedd hwnnw yn dipyn o dderyn brith, yn ôl rhai haneswyr. Fel Dafydd ap Gwilym gynt, yn ei gerddi datganai serch fflamychol at fwy nag un ferch yr un pryd! Un o'i fflamau a enwir yn ei farddoniaeth yw rhyw Alice Grey, yr oedd bron â marw o gariad tuag ati. Ew, erbyn meddwl, efallai mai fo oedd fy hen daid.

Hefyd, gwn y bu perthnasau i Nain yn byw yng Nghwm-tir-brwynog, Llanberis. Soniai am ei Dewyrth Ffowc a aeth i'r Mericia a dod yn berchen cadwyn o siopau yno. Ymhen rhai blynyddoedd, pan ddaeth adref am dro i'r Cwm, ceisiodd berswadio Nain (18 oed) i fynd yn ôl efo fo, gydag addewid am waith a chyflog da. Petasai wedi mynd buaswn wedi bod yn Ianc cyfoethog efallai, efo het gantal llydan a Chadilac. Heb allu profi dim, teimlaf yn gryf fod rhyw gysylltiad gwaed cyfrinachol rhwng Nain a'r hen wraig lengar o Fynytho.

Mab Ty'n-lôn-Saethon oedd fy nhaid Tyncae. Ty'n-lôn, fel yr awgrymir gan y gweddill o'r enw, yn agos i gartref fy nain ar y pryd.

Roedd o bymtheng mlynedd yn hŷn na hi ac yn ŵr gweddw. Gwn mai Anne oedd enw ei wraig gyntaf, gan fod cerdd er coffa amdani mewn hen Feibl sydd gennyf, ond dwn i ddim arall o'i hanes, ond i'm taid a hithau fyw yn ardal Wigan, lle gweithiai ef yn y pyllau glo. Dywedai lawer o hanesion am ei yrfa danddaearol yno, gan gynnwys un am dirlithriad a'i caethiwodd ef ac eraill gannoedd o droedfeddi o dan y ddaear am rai dyddiau cyn iddynt gael eu hachub.

Taid Tyncae yn ifanc.

Wedi i'm taid a'm nain briodi ym 1907 aethant i ffermio yn y Foel-bach, fel y dywedais, heb fod nepell o Saethon. Yno y ganwyd fy mam ym 1911, dwy flynedd a hanner cyn iddynt symud i Dyncae, Llangïan. Roedd fy nhaid yn un o chwe phlentyn yn ôl Cyfrifad 1871. Cofiai ei dad yn cael llifio'i goes i ffwrdd ar fwrdd y gegin, a hwythau'r plant wedi'u hel i'r llofft. Roedd fy hen daid yn fab gordderch i sgweiar Nanhoron, lle gweithiai'i fam yn forwyn ifanc. Tebyg fod llawer o geirch gwyllt yr hil freintiedig o gwmpas Llŷn fel pob ardal arall. Cofiaf Anti Lisi, Llanllyfni, chwaer fy nhaid yn ymhyfrydu yn y gyfran o waed glas y credai ei fod yn llifo drwy ei gwythiennau.

Nadoligau

Nid wyf yn siŵr o fy oed pan gofiaf Nadolig gyntaf, ond dyfalaf fy mod i tua thair pan glywais, a deall, am draddodiad 'yr hen Santa' fel y galwai Taid Tyncae o. Awgrymwyd imi fod bod yn hogyn da, ufudd, am rai wythnosau, a mynd i'm gwely yn gynnar y noson cyn y Nadolig yn effeithio ar ei haelioni. Yn y cyfnod hwnnw doedd dim ond dau beth a'm poenai'n arw – llosgeira ac uwd Quaker Oats. Cofiaf gael rhoi 'eli Kitty Morris', pwy bynnag oedd honno, ar fysedd fy nhraed a'm dwylo poeth, coslyd a chwyddedig. Gwnâi hwnnw'r anesmwythder yn waeth os rhywbeth, er i Mam a Nain honni fod y stwff seimllyd, melyn, yn lles. Felly hefyd efo'r uwd. Na, nid rhoi hwnnw ar fy nhraed oedd raid, ond ei fwyta i swper, a hynny bob nos cyn mynd i 'ngwely. Casáwn ei flas a'r teimlad o'i dalpiau llithrig yn fy ngheg. I'm calonogi yn fy nhasg o'i fwyta rhoddid bocs Quaker Oats, a oedd a llun dyn bach smala arno, wrth fy ymyl gan fy rhybuddio fod y dyn bach yn gwylio faint roeddwn i'n ei fwyta. Dyna'r ddrama ar noson cyn y Nadolig pan gyrhaeddodd Gwilym Tarallt, a sôn iddo gael cip arno 'Fo' ar ei ffordd, yn brysur yn rhannu anrhegion i blant y pentref. Llyncais bob llwyaid o'r uwd heb rwgnach ac i ffwrdd â fi i'm gwely, a Mam yn rhoi hosan Dad i fyny am fod fy un i yn rhy fychan i ddal yr holl bethau y gobeithiwn eu cael. Allai ddim bod yn siŵr beth oedd yn fy hosan fore'r Nadolig hwnnw ond cofiaf fod yr hen fachgen barfog wedi gadael treic bach o'r un lliw â'i gôt laes a'i het wrth y goeden yn y neuadd. Hwnnw, o fewn wythnos neu ddwy, a yrrais yn erbyn bwrdd y gegin ar gymaint o wib nes taflu'r lamp baraffîn oedd yn olau arno. Thorrodd hi ddim ac mae hi gen i heddiw i'm hatgoffa am ddamwain a allai fod wedi rhoi'r tŷ ar dân.

Ymhen ychydig flynyddoedd dechreuais amau gwirionedd Santa, er fy mod i'n rhy ddoeth i ddatgan fy amheuaeth, gan y mwynhawn gymaint y dyfalu, a'r syndod o weld y presantau wrth fy ngwely fore'r Nadolig. Cyfrannodd amryw o bethau at fy anghrediniaeth. Rhesymais na allai lwyddo i roi presantau i holl blant y byd yr un noson, na bwyta'r holl fins peis yr oedd pawb yn eu gadael iddo, ac nad oedd yn bosib iddo ddod i lawr simnai'r neuadd na'r parlwr-mawr am fod y tyllau'n rhy fychan, a ph'run bynnag roedd llawer gormod o huddygl ynddynt. Poenai hirhoedledd 'yr hen Santa' fi hefyd. Cofiaf holi fy nain a fyddai hi yn cael presantau ganddo pan oedd hi yn eneth fach. Sicrhaodd fi y byddai, a hefyd ei mam o'i blaen. Nid fod gwneud syms yn un o'm rhagoriaethau, ond cesglais fod Santa Clôs yn llawer rhy hen i ddal i fod o gwmpas. Ond cefais eglurhad parod pan ofynnais i Gwilym – 'Tydi o ddim yn heneiddio 'ngwas i, wedi ei eni o'r Fythol Fam.' Ddeallwn i ddim beth a olygai hynny ond ni fentrais holi ymhellach ar y pryd.

Byddai llawer o weithgaredd gartref yr wythnos cyn y Nadolig: lladd tua dau ddwsin o wyddau a'u pluo a'u trin gyda help Nain Tarallt a Mrs Jones Talgraig, a'u pacio'n barod i'w gyrru efo'r trên o Bwllheli i ymwelwyr haf o bob cwr o Brydain, ac i Anti Lisi a chyfeillion yn Llanllyfni.

Gofelid fod lympiau o bwdin wedi'u berwi fis neu ddau ynghynt. Gwelid hwy'n hongian mewn clytiau ar fachau o dan ddistiau'r tŷ-llaeth efo'r cig mochyn hallt.

Gyda'n cinio Dolig oedd yr unig amser y trwyddedid ni gan Nain i gyffwrdd 'diod feddwol'– potel o *Woodpecker Cider* y deuai Enid, merch tafarn y pentref, â hi inni'n anrheg bob blwyddyn yn ddi-feth.

Cofiaf firi a chynhesrwydd y Nadoligau yn Nhyncae dros y blynyddoedd. Hyd yn oed wedi inni adael yr aelwyd, i goleg a gwaith, yn cyrchu tuag adref i dreulio'r Ŵyl bob blwyddyn. Y teulu'n gyfan bob amser tan 1962, y Nadolig cyntaf heb Dad.

Yn blant, onid oeddym bob Nadolig yn dyheu am weld un arall, a'r amser rhyngddynt yn ymddangos mor hir, ond bellach, fel yr heneiddiwn . . .

NADOLIGAU

Anaml y deuent, yn blentyn – wylwn
am weled un wedyn;
mwy yn her a minnau'n hŷn;
'Arafwch' yw 'nhaer ofyn. (1998)

Pont rhwng Llŷn ac Ynys Môn

Un o Ryd-y-clafdy oedd tad fy nhad, Robert Roberts, cariwr nwyddau a glo efo ceffylau, nes i'r busnes gael ei oddiweddyd gan lorïau stêm a phetrol. Priododd â Jane, merch Gardd Eden, Pentre Berw, Ynys Môn, a ddeuai i'r Rhyd i aros gyda'i ffrind oedd yn athrawes yno. Treuliai fy nhad, ei frawd hynaf Wil a'i ddwy chwaer Nel a Sali, eu gwyliau haf bob blwyddyn efo'u taid a'u nain yng Ngardd Eden (canolfan arddio erbyn hyn, ger Holland Arms.). Roedd Gardd Eden yn ganolfan busnes llewyrchus – lladd anifeiliaid a dosbarthu eu cig i bob rhan o Fôn a phellach, a rhedeg siop yno a werthai gig a nwyddau eraill. Mae stori ddiddorol am gangen Môn o'n teulu, a gadarnhawyd gan hen wraig oedd yn ysbyty Bryn Seiont, Caernarfon, yr un pryd â Nain Tyncae, pan oedd hi'n gwella ar ôl torri asgwrn ei chlun yn 90 oed.

Roeddwn wedi mynd i'r ysbyty ryw gyda'r nos i edrych am Nain efo fy Modryb Nel. Ac yn ôl arferiad mewn ward agored, es i ddweud helô wrth gleifion eraill nad oedd ganddynt neb yn ymweld â nhw. 'O ble dach chi'n dŵad?' meddwn wrth un hen wraig. Atebodd mai o'r Gaerwen, Ynys Môn, a finnau wedyn yn dweud fod fy hynafiaid wedi byw yn yr un ardal â hi. Cofiai'r hen wraig chwarae efo'r plant o Fynytho a ddeuai i aros yng Ngardd Eden, Pentre Berw, bob gwyliau haf ers talwm. Soniodd am un eneth fach arbennig o ddel, yr oedd yn ffrindiau mawr efo hi bryd hynny, o'r enw . . . ia, Nel. 'Arhoswch funud', meddwn wrthi, 'mi af i'w nôl hi i gael sgwrs efo chi rŵan.' A thystiaf i'w dagrau o lawenydd pan groesodd eu llwybrau ar ôl 64 o flynyddoedd. Dywedodd yr hen wraig stori Meri Sir Fôn, Miss Huws fel y'i galwai, chwaer i fam fy nhad a oedd wedi etifeddu Gardd Eden ar ôl marwolaeth ei thad, a cheisio dal i redeg y lle fel siop a werthai gig a nwyddau eraill. Mae ceisio yn air addas iawn yma, gan i'r hwch fynd drwy siop Miss Huws, a oedd â chalon rhy feddal i redeg busnes, fe ymddengys. Yng ngeiriau'r hen wraig yn yr ysbyty: 'Mi fasa ni wedi llwgu lawar gwaith heb haelioni Miss Huws ar ôl i 'Nhad farw. Doedd gynnon ni ddim arian, a hitha'n dal i roi bwyd inni, gan ddeud y cawsem ni dalu pan fedren ni.' Rhannol gyfrifol fu gor-haelioni Meri Sir Fôn am iddi hi a'i mab Robert orfod symud o Ardd Eden i fyw mewn tŷ rhes bychan iawn yn y Gaerwen. Wedi iddi golli ei swydd fel athrawes ysgol y pentref, pan gafodd blentyn serch, esgymunwyd hi i raddau pell hyd yn oed gan ei theulu agosaf, a thrôdd at y botel, am gysur 'debyg. Cofiaf Robert Huws, ei mab, yn ddyn hynod o glên a ddreifiai lori iard goed Williams, Gaerwen, rhwng y fan honno a dociau Lerpwl am flynyddoedd, a'i fam, Meri, â'i chorff wedi'i lurgunio gan grydcymalau.

Pan oeddwn i'n brentis efo Manweb ym Mangor (1949-54) ac yn aros efo teulu ym Mhorthaethwy, byddwn yn ymweld â Meri Sir Fôn a Robat Huws (fel y'u gelwid gartref) yn rheolaidd, a chael croeso brwd iawn bob amser, a gynhwysai sglodion tatw o siop yn agos i gofgolofn y pentref, a thun o ffrwythau o'r gegin gefn.

Roedd Robat Huws wedi bod yn y Fyddin amser y Rhyfel ac yn feirniadol iawn o'r ysgrifen ar y golofn, sy'n awgrymu fod y bechgyn ifanc o'r ardal y rhestrir eu henwau arni wedi *rhoi* eu bywydau dros eu gwlad.

Mam Newydd

Yn fuan wedi i'm taid a nain a'u pedwar plentyn symud o Ryd-y-clafdy i ffermio yng Nghoed-y-fron, Mynytho, bu farw fy nain (Jane Ellen) ychydig ddyddiau wedi genedigaeth geneth, a fabwysiadwyd gan berthnasau, ond a fu farw hefyd cyn cyrraedd ei blwydd. Maent oll wedi'u claddu yn agos i fy hen daid, William Roberts, Tŷ Uchaf Rhyd-y-clafdy, ym mynwent Eglwys Botwnnog.

Ailbriododd fy nhaid ag Elin a oedd wedi dod i Goed-y-fron i gadw tŷ iddynt. Bu'n fam ardderchog i'r pedwar plentyn, a chafodd fy nhaid a'i wraig newydd un mab, Gwilym, y soniais amdano eisoes, a gofiaf fel ewythr ffraeth a hoffus iawn. Bu farw'n ddiweddar (1998) bron yn 80 oed, wedi amaethu drwy'i oes, a mynd o dŷ i dŷ yn Llangïan efo'i biser i werthu llefrith am flynyddoedd lawer. Roedd ganddo lais bariton cyfoethog, a chanu mor naturiol iddo ag i geiliog bronfraith ar fore o wanwyn. Clywid eitemau cerddorol ganddo oddi ar lwyfan buarth y fferm yn ddyddiol – 'Yr Arad Goch', 'Ar y bryn yr oedd pren . . .' ac yn y blaen. Hefyd, o'r beudy a'r sgubor clywid ef yn adrodd emynau ac adnodau. Yn ganol oed dechreuodd bregethu mewn eglwysi a chapeli yn Llŷn. Roedd yn gymeriad caredig a phoblogaidd, a fyddai'n ystrywgar iawn yn ei ieuenctid. Dyma gyfres o englynion er cof am Gwilym. 'Yr Hen Sgubor' y galwai Ysbyty Gwynedd lle bu farw. Y 'Clochdy' yw'r bryncyn sydd y tu ôl i dŷ Tan-yr-allt. 'Gollwng' a ddywedid ar fferm am derfyniad sbel o waith efo ceffylau. 'Tramp' oedd term Gwilym am fynd oddi cartref, ac roedd mynd i Fangor fel mynd dramor iddo ef.

GWILYM TANRALLT

Yn groch o ben y Clochdy,
ar blygain a'r blagur yn ffynnu. . .
Gwartheg yn rhes cyn gwerthu
o'i biser têr i bob tŷ.

Wedi tramp y mynd dramor,
nid gwella ond gollwng ym Mangor.
O nos gobaith 'hen sgubor',
yn rhydd i freichiau yr Iôr.

'Gwilym'- Efe a'i galwodd,
i'r dalar o'r dolydd a'r weirglodd.
Neges ddirodres a rôdd -
'O'r tresi tyred trosodd.'

O fy ach gynt y bachgen
a'm heriai am orau y glusten.
Ei roi o dan yr ywen,
i warth clai fy ewyrth clên?

Fel hedydd, ar ddwyfol adeg,
eto daw ataf i'r gosteg;
minnau toc, i'r un man teg,
o adwyth fynnaf hedeg. (1998)

Lladdwyd brawd hynaf fy nhad, William, yn Ffrainc ym 1918. Holais am ei yrfa filwrol, ac ymwelais â'i fedd ym mynwent Mount Huon ym 1992, efo'r hanesydd rhyfel enwog Martin Middlebrook. Chwiliodd Martin ar fy rhan a darganfod gwybodaeth fanwl am leoliad catrawd fy ewythr yng Nghoedwig Havrincourt yn agos i Cambrai, a hyd yn oed gofnodion am y noson y bu iddo gael bwled drwy'i ben. Bu farw mewn ysbyty yn Le Treport fis yn ddiweddarach.

Amser cythryblus iawn i'r teulu gartref oedd hwnnw, fel i gannoedd o deuluoedd eraill oedd â chlwyfedigion. Dôi adroddiad gan y Fyddin yn rheolaidd. Hefyd, deuai llythyrau gan eneth ifanc o Lŷn a ddigwyddai fod yn nyrs yn yr ysbyty lle roedd o yn Ffrainc. Mewn un o'i llythyrau soniodd, fod Wil dipyn gwell, gan iddo fwyta tri

William, brawd fy nhad, cyn croesi i Ffrainc, 1917.

Wrth fedd fy Ewyrth William, 1992.

siocled allan o focsiad yr oedd y teulu wedi'i anfon iddo. Yn fuan wedyn daeth adroddiad yn dweud ei fod yn waelach, ac yna'r teligram yr oeddynt wedi'i ofni cymaint . . . Yn ddim ond 19 oed – *'R/1877, William Roberts, Hood Battalion, RND. Died of wounds 27 January 1918'*. Yn ôl yr arferiad, dychwelwyd ei eiddo personol o Ffrainc i'w gartref maes o law. Ymysg y pethau a dderbyniwyd roedd y bocs siocledau, a dim ond tri llecyn gwag ynddo. Pan es i ymweld â'i fedd cymerais garreg o dir Coed-y fron, ei hen gartref, efo fi a'i gadael arno, a dod â phlanhigion gyda gwreiddiau oddi ar y bedd yn ôl i'w chwaer, fy Modryb Nel.

Cefais hanes William yn ddiweddar gan fy ffrind Dic Goodman, Mynytho, wedi'i glywed gan ei dad: Wil Coed-y-fron wedi bod gartref am bythefnos o wyliau, cyn croesi i Ffrainc ym Medi 1917, ac yn mynd yn ei lifrai milwr taclus i ffarwelio â'r rhai oedd yn pladurio ŷd yno. Un o'r dynion hwyliog yn dweud, 'Mae'n iawn arnat ti, yn dy ddillad crand yn cael mynd i weld y byd a ninna'n gorfod ymlafnio yn fan'ma.' Yntau yn ateb, 'Wyddoch chi ddim byd amdani, hogia. Mi dorrwn i'r holl gaeau 'ma fy hun efo pladur bren pe cawn i'r dewis, yn hytrach na mynd i'r lle sydd yn rhaid imi.'

Teimlwn agosrwydd rhyfedd fy ewyrth coll yn fy mhlentyndod, a chofiaf syllu ar lun a dynnodd geneth o Abersoch tua 1920. Yr un eneth efallai ag a sgwennodd yn ei llythyrau ato, a ddychwelwyd i'w gartref ar ôl ei farwolaeth, ei bod yn gweddïo bob nos am iddo gael dod yn ôl ati.

Yn y llun mae rhesi ar resi o feddau, a marc pensel uwchben un ohonynt. Effeithiau y stori a'r llun hwnnw a barodd imi ysgrifennu'r gerdd:

DAU FAES

Wedi imi syllu'n hir
ar dristwch gogoneddus y llun
rhwng llwydni'r ffrâm,
aeth meini'r rhesi twt yn niwlog
gan newid ffurf yn araf. . .
Yn fachgen trôdd pob un!

Yna'r llanc o dan farc y bensel
a gamodd ymlaen yn feiddgar,
gan dorri'r rheng
i'm harwain,

dros gulfor ei atgofion -
i gae o ŷd
yn Llŷn, cyn mwd Cambrai.
Clywn y miri, a gwelwn y pladurwyr brwd
yn gwanu'r cnwd,
tra'n sgwrsio am y rhyfel pell.

Yna, tywysodd fi i faes yn Ffrainc,
lle bu'n llafurio tymor byr,
cyn syrthio i drwmgwsg,
a phabi
rhuddgoch ar ei dalcen.

Yno bu aredig – cwysi dwfn,
ond ni bu hau na chynhaeaf;
dim ond cynnull,
a chario
wedi'r medi mawr. (1985)

Anwyldeb ac arwriaeth

Cofiaf achlysur cyn imi ddysgu cerdded, a minnau tua blwydd oed mi dybiaf, pryd y cariai Nain Tyncae fi mewn siôl o gwmpas y fferm. Pan oedd 'Nhad yn agosáu aethom i guddio yn y gegin-foch, adeilad wrth gytiau'r moch lle paratoid bwyd iddyn nhw, ac y golchid dillad bob dydd Llun, wedi berwi dŵr mewn crochan mawr dros dân coed. Yna, pan ddaeth 'Nhad yn nes, dyma Nain, a minnau yn ei breichiau, yn neidio allan o'i flaen, ac yntau yn smalio inni'i ddychryn o'n arw.

Atgof cynnar arall yw am fynd i lan y môr yn Abersoch efo Mam; y tro cyntaf erioed imi fynd i lan y môr, mi gredaf. Mae dau beth yn glynu yn fy meddwl o'r diwrnod bendigedig o braf hwnnw. Cyn gynted ag inni eistedd ar y tywod cynnes, ac i Mam dynnu fy sgidiau bach gwyn, dyma hen wylan fawr yn deifio o'r entrychion a chario un esgid i ffwrdd. Rhedodd Mam ar ei hôl a gollyngodd yr wylan yr esgid rhyw ddau ganllath oddi wrthym ar y traeth, wedi darganfod nad rhywbeth blasus i'w fwyta ydoedd. Yna, yr un prynhawn, cefais gerydd gan Mam am daflu tywod efo fy rhaw fach bren newydd dros ryw ddyn mawr boliog oedd yn torheulo wrth ein hymyl ac yn parablu mewn iaith ddieithr hollol i mi.

Erbyn cyrraedd tair neu bedair oed roeddwn wedi cynefino â'r iaith ddieithr honno gan i Mam ddechrau cadw ymwelwyr haf. Cofiaf y cyffro wrth baratoi a disgwyl i'r pâr cyntaf gyrraedd, Mr a Mrs Marchant o Lundain, cwpwl ifanc heb gael plant, a hithau wedi gwirioni'i phen efo fi. Pan oeddynt ar ymadael, galwodd Mam fi o'r ardd i dderbyn anrheg – trol fach bren goch a melyn. Un broblem. Disgwyliai Mrs Marchant gael cusan gennyf cyn y cawn berchenogi'r drol, a finnau yn syfrdan gan swildod. P'run bynnag, cyflawnais y dasg, a chofiaf sawr melys, cynnes, ei hagosrwydd a chyffyrddiad ei gwefusau cochion â'm boch. Cefais oriau o bleser yn chwarae efo'r drol liwgar, yn ei llenwi efo tywod a cherrig a'i thynnu wrth linyn.

Ymddengys mai presenoldeb fy nheulu a achosai fy swildod, gan imi gofio cael fy anwylo gan eneth ifanc arall o Saesnes ar lan y môr yn yr un cyfnod, heb deimlo dim ond boddhad. Un o'r ymwelwyr oedd honno hefyd, o Lerpwl, a ddaeth i aros acw amryw o weithiau efo'i chariad, ac yn ddiweddarach wedi iddynt briodi. Weithiau, pan fyddai Tom ei chariad yn dioddef poen yn ei gefn, ac yn aros yn ei wely drwy'r dydd, âi'r ferch â fi yn gwmni i lan y môr. Un tro felly, gorweddem a chwarae ar dwyni tywod ymhell o'r traeth poblog. Erys darlun o'i gwallt, a weddai i ddisgrifiad Dewi Havhesp i'r dim – *Ha! fe alwyd nefolion / I hollti aur yn wallt i hon*. Y gwallt a erys yn dorch dros ei hysgwyddau heulfrown yn fy nghof, a chyda boddhad parhaus y cofiaf hi'n fy anwylo a'm gwasgu'n dyner i orffwyso fy mhen ar obennydd ei bron noeth. Doedd y term *camddefnydd rhywiol* ddim wedi'i fathu bryd hynny, a byddai unrhyw gondemniad wedi difwyno yr hyn a saif yn fy meddwl hyd heddiw fel cyffyrddiad angyles. Beth a fyddai barn Freud tybed?

Pan oeddwn tua chwech oed dechreuais freuddwydio'n rheolaidd am eneth fach o tua'r un oedran â mi. Gallaf ddwyn ei hwyneb tlws i'm meddwl y funud yma, a'r un ffrog flodeuog a wisgai bob amser. Yn aml roedd mewn sefyllfa enbyd, anghenus, a minnau yn filwr neu farchog dewr yn barod i'w hamddiffyn, ac aberthu fy mywyd, pe byddai raid, i'w hachub o gastell rhyw ddihiryn a'i carcharai. Welais i erioed mohoni yn y cnawd, ond er hynny buaswn yn ei hadnabod mewn unrhyw dyrfa.

Ychydig yn ddiweddarach dechreuais gael profiadau all-gorfforol (*out of body experiences*). Hynny yw, cael teimlad fy mod y tu allan i'm corff. Digwyddai hynny pan awn i'm gwely, heb syrthio i gysgu'n syth. Teimlwn fy hun yn codi o fy nghorff nes cyrraedd y nenfwd bron. Oddi yno gwelwn yr ystafell, fy nheganau a'm llyfrau, a hefyd fy nghorff fy hun yn fy ngwely yn fy mhyjamas fflanelét gwyn efo streips coch a glas. Doedd dim a'm dychrynai yn hyn; mwynhawn y profiad, gan gymryd yn ganiataol fod pawb yn gallu gwneud triciau o'r fath. Gwn erbyn hyn mai un neu ddau y cant o'r boblogaeth sy'n debyg o gael profiad tebyg rywbryd yn ystod eu hoes.

Yn y cyfnod hwnnw y cefais brofiad o farwolaeth gyntaf hefyd. Roedd pryder mawr yn yr ardal am fod Pat, merch ddwyflwydd a hanner John a Kate Evans, Y Cottage, Llangïan yn wael iawn. Cofiaf y sôn na allai meddygon wneud dim, a bod ei rhieni yn mynd â hi at ryw ddyn hynod o'r enw Pastor Jeffries i Fangor. Yna, un bore daeth Mam gan ddweud wrtha'i drwy'i dagrau fod Pat fach wedi mynd at Iesu Grist.

Weiarles Newydd

A chymylau duon yr Ail Ryfel Byd yn ymgasglu'n gyflym, penderfynwyd cael set radio well, er mwyn gallu dilyn y datblygiadau rhyngwladol yn haws. Byddai rhaid ymyrryd â'r hen set yn barhaus i'w chadw ar y stesion, a honno'n gwichian fel mochyn ar dywydd gwyntog. Achosai hyn i Taid, a oedd yn boliticaidd iawn ei agwedd, fod mor ddiamynedd â chacynen wedi'i chau mewn pot jam. Crybwyllwyd wrth Yncl Robat, Llanllyfni, y soniaf amdano eto, am yr angen am weiarles, ac addawodd yntau ofyn i Idwal Jones oedd yn cadw siop beics yn Nhal-y-sarn, Dyffryn Nantlle.

Yn fuan a dirybudd, ar bnawn Sul, cyrhaeddodd cerbyd dieithr, ac ohono daeth Yncl Robat ac Idwal Jones, dewin y diwifr, a dau o'i fechgyn. Aneirin, mi gofiaf, oedd enw un ohonynt. Doedd fy nain ddim yn fodlon iawn eu bod wedi cyrraedd i osod y peiriant ar ddydd Sul, ond sicrhaodd Idwal Jones hi mai 'gorau bo'r diwrnod, gorau bo'r gwaith'. A daeth â'r bocs carbord mawr i'r tŷ yn frysiog a datgelu ei gynnwys rhyfeddol cyn i Nain gael cyfle i wrthwynebu ymhellach.

Rhoddwyd y weiarles, a oedd ag uwchseinydd ar wahân ar ffurf corn mawr, ar silff ffenestr y neuadd. Ond nid cysylltu'r set i'r seinydd a'r tri batri oedd yr unig dasg cyn y tynnai'r sŵn o'r tonfeddi. Roedd angen cyswllt daear ac awyr – yr *earth* a'r *aerial*. I'r cyntaf, yn ôl y dewin, roedd rhaid torri twll dwfn yr ochr allan i'r ffenestr, claddu amryw o hen duniau ynddo a chysylltu'r wifren rhwng un ohonynt a'r weiarles. Yn *aerial* roedd yn rhaid wrth wifren o'r set drwy ffrâm y ffenestr, i fyny wal y tŷ, lle hongiai wrth bêl wen degan, dyllog, ac ymlaen i ben polyn uchel tuag ugain llath i ffwrdd, lle roedd pêl degan, dyllog arall. O ia, bu bron imi anghofio, ac Idwal Jones wedi'n rhybuddio i agor y swits cyllell, a oedd wedi'i osod ar ffrâm y ffenestr, pan fyddai arwyddion terfysg, rhag ofn i fellten ddod i'r tŷ.

Cwblhawyd y gwaith a chlywyd y lleisiau lledrith yn gliriach na chynt, a roes foddhad mawr i'm teulu. Ond y boddhad mwyaf i mi y diwrnod hwnnw oedd cael cwmni meibion Idwal Jones i chwarae yn lle mynd i'r Ysgol Sul. Nhw ddyfeisiodd y gêm, fel y ceisiais egluro i 'Nhad y diwrnod wedyn pan ges i goblyn o row am falurio'r teisi gwair.

Roeddwn i wedi cael gafr yn anrheg gan rywun o Lanengan, ac roedd hi wrth dennyn yn pori'n hamddenol nes i'r ddau fachgen diarth, a minnau wedyn o'u hefelychu, ddechrau'i chythruddo trwy afael yn ei chyrn a gwthio'i phen yn ôl. Gwylltiodd yr afr, a ninnau yn cael cryn wefr wrth fentro i gylch ei thennyn, ei herio, a dianc o'i blaen, gan deimlo'n eithaf saff na allai ein cyrraedd. Ond, wedi chwarae'r gêm gyffrous a rhyfygus hon am sbel, pan roddodd yr afr blwc mwy nerthol na chynt i'w thennyn, fe dorrodd. Yna, a hithau ar ein gwarthaf efo'i chyrn miniog yn barod, doedd dim i'w wneud ond dringo i ben y teisi gwair o'i chyrraedd. A datblygodd gêm o herio'n gilydd, pwy oedd yn ddigon dewr i fynd i lawr, tynnu sylw'r afr trwy ddal ein dyrnau o'i blaen ag ystum fel Tomi Ffâr, arwr bocsio'r cyfnod, a dianc yn ôl i fyny i ben tas o'i chyrraedd. Yn ffodus wnaed dim difrod i ni, ond am y teisi gwair, a hynny ar y Sul hefyd!

Roedd rhai dyletswyddau a ganiateid ar 'Ddydd yr Arglwydd', fel godro, a rhoi bwyd i anifeiliaid y fferm wrth gwrs, ac i ninnau, er y paratoid cymaint ag yr oedd modd ar nos Sadwrn. Byddai brys mawr ar fore a phrynhawn Sul i ddarfod er mwyn mynychu'r gwasanaethau. Ond, ar fore Llun, os cofiaf yn iawn, yr oedd brys ar fy nhad pan binsiodd fy nghlust i efo siswrn wrth dorri fy ngwallt. Roedd Mam, Dad a finnau yn paratoi i ddal bws arbennig i Gymanfa'r Eglwys yn Aberdaron, pan benderfynwyd yn sydyn y dylid twtio dipyn ar gopa'r hogyn bach. Cas beth gennyf fyddai cael torri fy ngwallt, ac mae'n debygol fy mod i'n aflonydd a 'Nhad yn fyr o amynedd pan ddigwyddodd y ddamwain. Ond honnai Nain mai ar 'Nhad yr oedd y bai mwyaf. Mae'n sicr iddo deimlo'n bur euog. Roedd gen i gnwd o wallt anystywallt efo troell uwch fy nhalcen a achosai i ryw gudyn sticio i fyny fel crib ar ben cornchwiglen. Pwy neu beth a achosodd yr anffawd wn i ddim, ond gwn fy mod i'n dal i snwffian crio ar y bws rhwng Llangïan ac Aberdaron, am fod fy nghlust i'n teimlo'n chwilboeth, annifyr, a phawb yn cydymdeimlo efo fi, yn enwedig Elsi

Orel, a fyddai'n gwneud ffŷs ohona i bob amser a rhoi fferins mint imi yn yr Eglwys i fyrhau'r bregeth.

Doedd dim angen pan fyddai Mr Evans y Person yn gweinyddu. Byddwn yn cael eistedd yn seti'r côr efo'i fab, a mi fyddai Brian yn gofalu dod â soldiwrs plwm a cheir bach inni chwarae ar lawr o'r golwg rhwng y seti. Weithiau byddai Mr Evans yn edrych i lawr yn sarrug o'r pulpud arnom, ond allai o ddim rhoi row inni ar ganol pregethu. A dwedodd amryw o weithiau fod Iesu Grist eisiau i bobl fawr fod yn ffeind wrth blant bach.

Cymylau Duon

Er inni glywed y newyddion yn gliriach drwy gorn y weiarles newydd, newyddion drwg oeddynt beunydd – Mussolini a'i fyddinoedd wedi goresgyn Abyssinia, a Hitler yn ymosod ar Ffrainc. Pawb o gwmpas y weiarles yn clustfeinio, yn dal pob sglodyn o newyddion, a Taid yn arthu arnaf am wneud twrw.

Un prynhawn tywyll a thrymaidd ym Medi 1939, dyma Nain yn mynd â fi am dro hyd Cae-glas, ac mewn cornel yn torri i wylo wrth ddweud wrtha i fod rhyfel wedi'i gyhoeddi rhwng Prydain a'r Almaen. Diau fod atgofion am erchylltra'r Rhyfel Byd Cyntaf â'i dreth ar fywydau yn Llŷn, fel pobman arall yn dal yn ffres yn eu meddyliau. Cofiaf holi Nain am natur rhyfel, a chael dipyn o wybodaeth am yr hyn a allai ddigwydd, fel Hitler yn dod mewn eroplen i'n bomio ni. Fy syniad i bryd hynny oedd mai yr un dyn drygionus hwnnw oedd yn cyflawni'r holl anfadwaith â'i ddwylo'i hun, a chawn hi'n anodd credu na fuasai rhywun yn gallu'i ddifa o er mwyn terfynu'r holl helynt.

Ifan Pen-y-graig

Wedi crybwyll yn gynharach fod gan fy nhaid gryn ddiddordeb yng ngwleidyddiaeth y byd, doedd ei ystyfnigrwydd barn ddim ond fel pisiad yn Llyn Tegid o'i gymharu ag Yncl Ifan, gŵr gweddw, cefnder fy nain oedd yn byw ym Mhen-y-graig, Abersoch. Taranfollt o ddyn, uchel ei gloch, ond diddorol a lliwgar fel y deallais yn fy llencyndod. Pan oeddwn yn blentyn doedd o'n ddim ond dychryndod imi gyda'i lais croch, yn enwedig pan fyddai yn dadlau efo Taid. Wn i ddim beth oedd y gwahaniaeth barn oedd rhyngddynt, ond deallwn ei fod yn gysylltiedig â'r Rhyfel, a chofiaf y deuai enwau Lloyd George a Chamberlain yn ogystal â Hitler a Mussolini i'w trafodaeth danllyd yn rheolaidd. Weithiau parhâi'r dadlau yn ystod pryd bwyd, er i Nain geisio rhoi olew ar donnau eu môr cythryblus. Cofiaf y ddau yn gosod y cyllyll a'r ffyrc i gynrychioli ffryntiau'r byddinoedd yn Ewrop, ac yn dyrnu'r bwrdd wrth bwysleisio eu gwahonol strategau milwrol nes bod y llestri'n dawnsio.

Erbyn hynny roeddwn wedi deall nad Hitler ei hunan oedd wrthi. Hefyd, ymhen rhai blynyddoedd deuthum i adnabod Yncl Ifan, heb ei ofni. Yn wir mwynhawn ddadlau gydag o ar bynciau gwleidyddol a chrefyddol. Tybiaf hyd heddiw mai pregethwr y dylai Ifan Pen-y-graig fod wedi bod, fel ei frawd, Wili Llanfairfechan, fel y galwai Nain ef, dyn meddylgar, distaw, hollol wahanol i Ifan a fu'n weinidog Capel Horeb yn y pentref hwnnw am flynyddoedd lawer.

Awyrennau a mwy

Yn raddol daeth fy ymwybyddiaeth o'r Rhyfel yn fwy real, gyda gwersylloedd y Llu Awyr ym Mhenyberth, ac ym Mhorthneigwl hefyd yn ddiweddarach. Y rhain a ddenodd y 'Jarmans' i ymweld â ni yn Llŷn amryw weithiau. Cofiaf ddau achlysur yn arbennig, un ar gyda'r nos hyfryd o haf. Clywsom y seiren, ac wedi ysbaid bryderus gwelsom awyrennau bomio'r gelyn a thair *Spitfire* yn hollti'r awyr o'u cwmpas a'u hymlid ymaith yn llwyddiannus cyn iddynt ollwng eu llwyth dinistriol arnom. Nos Fercher oedd hi, a Mam wedi mynd i'r dref. Mawr oedd ein pryder pan na ddaeth bws wyth yn ei amser. Awr yn hwyrach, mawr hefyd fu ein balchder pan gyrhaeddodd Mam. Y bws wedi'i rwystro cyn cyrraedd Penyberth rhag ofn bomio. Daeth Mam â gêm imi – gleiniau o wahanol liwiau i'w rhoi ar fwrdd rhidyllog i wneud patrymau. Dro arall dychwelodd Dad i'r tŷ o nôl y gwartheg i'w godro tua saith o'r gloch y bore â'i wedd fel calchen. Awyren fawr gyda'r groes ddu fygythiol arni wedi hedfan heibio mor isel â'r tŷ bron, mor isel yn wir nes y gwelai 'Nhad ddynion o'i mewn yn glir. Awyren yr Almaen wedi mynd ar gyfeiliorn, ar ôl bod yn bomio Lerpwl, yn ôl y sôn. Ar nosau bomio'r ddinas honno clywem gannoedd o awyrennau yn hedfan heibio'n uchel a'u stŵr fel haid o gacwn.

Boddhad mawr i ni blant yr ardal oedd bod mor agos at wersylloedd y Llu Awyr. Gwelem ddwsinau o awyrennau'n ymarfer o'n cwmpas bob dydd, ymarfer bomio targedau yn y môr yr oeddynt i fod, ond aml i dro disgynnodd bomiau, bwledi ac eroplenau cyfain o'r awyr lle na ddylent. Gwelais wrthdrawiad rhwng dwy awyren unwaith a'r dynion yn neidio allan, y parasiwtau'n agor a'r ddau yn disgyn i'r ddaear yn ddianaf y tro hwnnw.

Tynnai rhai awyrennau 'dargedau cynffon', fel hosanau anferth wrth wifren ystwyth ddur gannoedd o lathenni o hyd. Roedd defnydd yr hosan darged yn sidan pur, gwyn neu goch. Amcan y targed oedd i awyren arall geisio'i saethu. Weithiau torrai bwled y wifren, a gysylltai'r hosan fawr â'r awyren a'i tynnai, gan ei gollwng i syrthio ar y caeau. Does dim angen imi ddweud y cyfrifid targed eroplen yn drysor gwerthfawr bryd hynny pan oedd defnyddiau'n brin iawn. Y dechneg o feddiannu un wedi'i ddarganfod oedd ei orchuddio efo gwellt neu wair ar y cae nes i'r rhai a chwiliai amdano roi'r gorau iddi. Yna, ar ôl rhai dyddiau, mewn diogelwch, cario'r bwndel buddiol i'r tŷ yn ddefnydd peisiau, blwmeri a hyd yn oed ffrogiau priodas. Mae'n sicr fod dynion golygus yr Awyrlu Brenhinol yn gwybod yn iawn fod y genod lleol yn gwisgo sidan Ei Fawrhydi, ond yn amharod i ddatgelu eu cyfrinach.

Doeddem ni'r bechgyn ddim mor ffodus. Anodd fuasai gennyf ddygymod â gwisgo tronsiau sidan, ond byddai wedi bod yn fwy derbyniol na'r rhai a wnaeth Miss Robaits Grinallt imi. Gwniadreg fedrus oedd Miss Roberts, hen ferch glenia'n fyw a ddeuai acw weithiau am rai dyddiau ar y tro i addasu dillad, byrhau sgerti, ail-wampio hetiau a thrwsio trowsusau ac ati. Roedd yn hynod o ddyfeisgar am lunio dilledyn newydd o ddefnydd hen un. A dyna sut y daeth i lunio dau drôns i'r hogyn (fi tua deg oed) allan o hen grysau gwlanen cras fy nhad. Syniad Nain, mae'n siŵr, oedd cadw pen-ôl yr hogyn bach yn gynnes dros y gaeaf. Darfyddwyd y gwaith ac edrychai'r creadigaethau yn wir broffesiynol efo lastig yn crychu'r gwasgau. Ond wnes i ddim trio nhw tra oedd Miss Robaits acw siŵr. Arhosais tan y bore wedyn pryd y gwisgais un i fynd i'r ysgol. Erbyn canol y bore roeddwn yn methu â byw yn fy nhrôns. Roedd yn rhy dynn, yn arbennig o gwmpas fy ngafl, ac yna darganfyddais fod y balog yn rhy uchel i fyny imi. . . Ac erbyn imi gerdded adref o Fynytho y noson honno roedd fy nghluniau i, a mannau eraill mwy sensitif wedi rhwbio'n goch.

Cofiaf Nain a Mam yn sôn am y methiant tronsyddol ymhen blynyddoedd wedyn wrth Lewis *White Horse*, y cymeriad hoffus a ffraeth o Lanengan gynt, a ddeuai acw o dro i dro i drwsio'r tŷ, ac wedyn am swper a sgwrs pan gyflwynai fil, fisoedd wedi cwblhau'r gwaith fel arfer. Ym marn Lewis, camgymeriad dybryd ar ran fy mam a'm nain oedd disgwyl i hen ferch fel Miss Robaits wybod beth *oedd* trôns, heb sôn am wneud un.

Rhamant er Rhyfel

Er gwaethaf trybestod rhyfel, daliai ymwelwyr haf i ddod i Lŷn, am dipyn o egwyl o'r bomio ar y trefydd mawr lawer ohonynt. Erys atgof am gwpwl ifanc newydd briodi yn dod i aros acw am wythnos. Roedd coets geffyl a thrap mewn gwahanol adeiladau ar y fferm, wedi'u cadw er pan oedd y math hwnnw o gludiant yn ffasiynol. Prynodd Gwilym Tarallt ferlyn am fod Bes yn heneiddio mae'n debyg, ac yn rhy araf i waith ysgafn fel hau rwdins a phriddo tatw. Syniad fy nhad oedd trio'r merlyn yn y trap, a dynnwyd allan o'r hoewal a'i lanhau. Wedi rhoi dipyn o olew linsid ar y coed a chwyr ar y lledr, edrychai fel newydd, efo llinell goch o'i amgylch. Rhoddwyd y merlyn rhwng y llorpiau a darganfod eu bod yn cydweddu'n berffaith. Dyma'r adeg pryd yr oedd y pâr ifanc i ddod i Dyncae i fwrw'u swildod. Penderfynwyd mynd i Bwllheli i'w cyfarfod oddi ar y trên efo'r merlyn â'r trap. Meddyliwch am y daith ramantus, a'r glaw a dywalltodd o Lanbedrog ymlaen yn amharu dim arni. Roeddwn i wedi cael mynd am y reid ac yn ymochel rhag y glaw o dan un o'r seti. Croeso mawr i'r cwpwl, dillad sychion a bwyd ar ôl cyrraedd. Yna, cofiaf nhw yn troi am eu gwely'n gynnar, yn cario cannwyll olau bob un, a llewych yn eu llygaid. Doedd gennym ni ddim trydan bryd hynny, dim ond lampau paraffîn a chanhwyllau, a chyfaredd lond y cysgodion. Ychydig o flynyddoedd yn ddiweddarach fi fu'n gyfrifol am ddileu peth o'r cyfaredd hwnnw trwy roi goleuni trydan yn fy nghartref.

Barddoniaeth ac amheuaeth

Pan oeddwn yn tynnu at fy nawfed flwyddyn cefais afael ar dri llyfr o farddoniaeth – *Telynegion Maes a Môr*, a *Caniadau'r Allt*, Eifion Wyn, a *Cerddi Ben Bowen y Glöwr*. Cafodd y ddau fardd gryn effaith arnaf ac mae'n amlwg imi geisio'u dynwared. Mae gennyf amryw o'r cerddi a sgwennais bryd hynny yn fy meddiant o hyd, am fod fy nain wedi'u cadw mor ofalus â phe byddent yn aur pur.

Symbylwyd fy ymdrechion barddol cyntaf gan harddwch natur a marwolaethau – baban perthynas inni o Lanllyfni, a fy nhaid Tyncae yn arbennig. Achosodd marwolaeth fy nhaid imi ystyried yn ddwfn hefyd benblethau crefydd a chwestiynu seiliau cred Gristionogol, fel y'i dysgwyd imi yn Smyrna ac Eglwys y Plwyf. Ychydig iawn o athrawiaeth y Beibl, fel y'i cyflwynid ar dudalennau y *Rhodd Mam* a chan athro Ysgol Sul a phregethwyr oedd yn dderbyniol imi, ar bwys rhesymeg syml.

A'r Ail Ryfel Byd yn ei anterth, synhwyrais yr anghysondeb rhwng agwedd y mwyafrif o grefyddwyr a dysgeidiaeth Crist. Cadarnhawyd fy amheuon yn ddiweddarach pan fu ffrwgwd symud yr organ – math o gythraul canu a rannodd aelodau capel Smyrna yn ddwy fyddin ymladdgar: un o blaid a'r llall yn erbyn symud yr harmoniwm o'r sêt fawr. Anghofia i byth fy nghywilydd un nos Sul wedi'r gwasanaeth pan godwyd y mater ym mhresenoldeb ymwelwyr haf a oedd wedi troi i mewn.

Roedd y syniad o symud yr harmoniwm i lawr y capel wedi'i gynnig, ei eilio a'i gefnogi trwy fwyafrif mewn pleidlais ryw fis yn flaenorol. Gan na wireddwyd y cynllun mewn amser rhesymol, pan ofynnodd Ifor Evans a oedd unrhyw fater arall cyn terfynu'r gwasanaeth, cododd Owen Roberts a cheisio eglurhad am yr oedi. Taniwyd yr ergyd gyntaf gan Salmon Jones y codwr canu a wrthwynebai'r symudiad yn chwyrn. Honnai fod cael yr organ yn lle'r oedd yn gaffaeliad mawr iddo fo fel arweinydd y gân. Wedi hynny, roedd bwledi geiriol yn saethu'n groes ymgroes i bob cyfeiriad. Yn ôl yr arfer ar dywydd poeth, roedd drysau'r capel yn agored ac, fel rhyw argoel yng nghanol yr halibalŵ, ehedodd aderyn i mewn, ac wedi troelli o gwmpas yn wyllt am dipyn, aeth i glwydo uwch y pulpud, gan fy atgoffa o arwyddlun y Methodistiaid Calfinaidd. Tawelodd pethau wedi i'r aderyn gwarcheidiol gyrraedd. Dywedodd Ifor 'Amen' frysiog a throdd pawb am adref. Ys gwn i beth a feddyliai'r ymwelwyr?

Yn y diwedd caed y Parch. Morgan Griffith, gweinidog Capel Penmount, Pwllheli, yn reffarî yn Smyrna pan gynhaliwyd ail bleidlais, un gyfrinachol ar bapur y tro hwn. Cyfrifwyd, a chariwyd y cynnig am yr eildro, a deddfodd Mr Griffith yn dwrneiol fod dymuniad y mwyafrif wedi'i selio a bod y gwaith i'w gwblhau heb oedi ymhellach. Symudwyd yr harmoniwm ond arhosodd creithiau'r bwledi hyd ddiwedd oes rhai.

Sôn am y Parch. Morgan Griffith rŵan yn fy annog i ddweud stori fach arall amdano, pryd yr ymwelodd â Smyrna i bregethu. Y noson honno roedd yn hindda tu mewn i'r capel – storm yr organ wedi gostegu. Ond pan aethom allan i'r tywyllwch roedd yn niwl dopyn (term Llŷn am niwl trwchus iawn). Pryderai rhai o'r blaenoriaid am ddiogelwch y pregethwr tal â'r het fawr ddu, a fwriadai yrru ei gerbyd i Bwllheli, taith o tua saith milltir drwy'r niwl. Dyfalaf ei fod yn ei saithdegau ar y pryd. Gwirfoddolodd Ifor Evans i'w arwain trwy yrru ei gerbyd ef o'i flaen i'r dref. Cychwynnodd Ifor gan ofalu fod Morgan yn dilyn. Wedi cyrraedd Pwllheli yn ddiogel a theimlo'n falch fod Mr

Griffith bellach ar ffordd oleuedig yr oedd yn gyfarwydd â hi, heb ystelcian dim aeth Ifor ogylch y gylchfan ger y Maes ac am adref. Erbyn cyrraedd top Mynytho, ryw filltir o'i gartref sylwodd Ifor fod car a'i canlynai yn cadw yr un pellter oddi wrtho'n hynod o gyson. Pan arhosodd wrth giât y Nant, arhosodd y car arall hefyd. Yr oedd Morgan Griffith wedi'i ddilyn nid yn unig yr holl ffordd i Bwllheli, ond hefyd yn ei ôl wedyn.

Nid yr hen *Ford,* a fu gan Ifor Evans am flynyddoedd, oedd ganddo erbyn hynny mae'n rhaid, gan mai gwyrth fyddai i hwnnw gychwyn ar dywydd niwlog. Cofiaf helynt o'r fath fwy nag unwaith, a ninnau'r bechgyn yn gwthio'r car gan obeithio iddo danio felly. Arferai llawer barcio wrth Sgubor Ddegwm ers talwm, ym mhen y ffordd sy'n arwain i Darallt. Bryd hynny âi'r ffordd drwy ffrwd ar waelod gallt cyn dringo oddi yno hyd at fuarth y fferm. Roedd yr allt i lawr yn gyfleus i gychwyn ceir ystyfnig. Ond roedd ffydd a ffawd yn hanfodol i'r weithred, gan mai yn y rhyd y darfyddai car ei hynt os na chychwynnai. Dyna ddigwyddodd i Ffordyn y blaenor hynaws, a hynny pan oedd ffrwd y pentref fel afon Tryweryn ar ôl glaw trwm.

Digwyddiad arall a gofiaf o'm hieuenctid yng Nghapel Llangïan oedd i ryw ddyn dieithr efo gwallt hir a locsyn cringoch droi i mewn un nos Sul hafaidd, a hynny sbel ar ôl dechrau'r gwasanaeth. Dychrynais braidd pan ddaeth drwy'r drws ac eistedd yn un o'r seti blaen, gan yr edrychai'n hynod o debyg i'r darlun traddodiadol o Iesu Grist. Wn i ddim hyd heddiw pwy oedd y dyn, p'run ai Sais ynteu Cymro neu hyd yn oed Iddew. Ymddangosai'n gartrefol ddigon ym mhen draw'r sedd ar ei ben ei hun. Wedi'r oedfa, aeth y dieithryn allan dan wenu, ond heb ddweud gair wrth neb, hyd y gwn i. Un o'r carafanwyr o'r maes cyfagos, mae'n siŵr; ond gwnaeth imi feddwl . . . Beth petasai O yn troi i mewn i oedfa, faint o'r gynulleidfa a fuasai yn ei adnabod?

Roeddwn tua deuddeg oed ar y pryd. Dros ddeng mlynedd ar hugain yn ddiweddarach y lluniais y gerdd hon:

Y DIEITHRYN

Am oedfa fu'n Salem heno;
parhaodd y bregeth dros awr;
hwyl fendigedig ar ganu.
ac ambell Amen ddwys o'r llawr.

Urddas a dawn yr ymwelydd
parchedig mewn dillad o ddu
a greodd naws y diwygiad,
ysgytiodd y Gymru a fu.

Yna, trwy foddion Cymundeb,
caed bendith y Nefoedd yn rhin.
Pwy oedd y dieithryn hirwalltog
a wrthododd y bara a'r gwin? (1976)

Deallwn fod arweinwyr crefyddol y ddwy ochr amser y Rhyfel yn bendithio'r bomiau a oedd i'w gollwng, y naill ochr ar y llall. Gwelais luniau rhai o'n hochr ni yn y *Picture Post*. Doedd hyn oll ddim yn gwneud synnwyr i mi, a phenderfynais fod yr Eglwys Gristionogol fyd-eang yn bwdr a rhagrithiol, ac yn dilyn hynny, fod cyfran helaeth o oedolion y gymdeithas amaethyddol, grefyddol, yr oeddwn yn byw ynddi, yn rhagrithiol a thwyllodrus hefyd. Gwyddwn am rai a laddai ddau fochyn ar drwydded un, amser *rations*; am rai a ddaliwyd efo petrol coch yn eu ceir ac eraill wedi rhoi dŵr yn y llaeth a werthent, heb sôn am ladrata cynffonnau awyrennau. Doedd wiw imi ddatgan fy nheimladau gwrthryfelgar rhag ofn pechu yn erbyn. . .? Nain yn bennaf 'debyg. Llwyddais i guddio fy nheimladau mewnol, gan gydymffurfio i ddysgu adnodau ac emynau wrth y dwsin, ac ennill amryw wobrau am fy ngwybodaeth Feiblaidd. Cystal yn wir oedd fy act gapelaidd nes i Nain ac eraill ddisgwyl y buaswn i'n mynd yn bregethwr. Crisialodd fy nheimladau am grefydd ffurfiol fy ieuenctid yn gerdd pan oeddwn tua deugain oed:

CREFYDD

Yn y bore disglair
gwelais eu cylchau
hyd weirgloddiau cred;
lle buont yn dawnsio
mor gelfydd;
heb dorri'r gwawn
na sathru'r gwlith.

Yno,
yng nghae'r edliw,
yn sinach ei gongl hirgul,
gorweddais,
gwelais fyd
â'i wyneb i waered,
ehedais tu hwnt i'r wybr. . .
Ai yno yr oedd y Nefoedd?

Yn grwtyn,
o gwr yr allor
gwelais ogoniant amryliw
y saint gwydr,
eryr pres
yn cynnal yr Efengyl
ac angel o'r nenfwd yn gwylio.
Fferrwn
dan drem ei lygaid,
i wrando ennyd
cyn dychwelyd eilwaith
i ffriddoedd fy nychymyg.
Syrffed
y bregeth astrus
rodd argraff ddofn
o wrymiau'r derw arnaf.

Dyfalaf eto
am y *llen* a'r *llwch*
fel yn fy nawmlwydd prin
pan dorrwyd rhawd fy nhaid
gan siswrn Mawrth.
Os o'r pridd y daethom
ai i'r pridd yr awn? (1975)

Taid Tyncae

Hoffwn fod wedi adnabod Taid yn well. Roedd yn gerflunydd cywrain, twmpathau a chloddiau drain yn bennaf. Gyda'i gryman miniog torrai hwy yn siapiau nodedig, rhai yn grwn, eraill yn sgwâr, ac un ddraenen ar y clawdd rhwng Cae-glas a Chae-beddau yn grwn efo siâp ceiliog yn sefyll ar ei phen. Âi i'r drafferth o roi darn o ruban coch yn grib i'r aderyn deiliog. Gwnaeth amryw o bontydd o goed byw hefyd trwy'u plygu a'u grafftio.

Roedd gan fy nhaid ddawn ac amynedd i hyfforddi cŵn. Pero oedd yr olaf iddo'i ddysgu, ci du a gwyn, rhyw gymysgedd o gi defaid a . . . dwn i ddim beth. Ta waeth am ei achau, roedd Pero yn gi deallus a ffyddlon. Nid yn unig gallai drin defaid a gwartheg yn ddeheuig, ond roedd yn negesydd parod hefyd. Dim ond rhoi nodyn ar bapur wrth ei goler a dweud y gair – i ffwrdd ag o o'r lle y byddai Taid yn gweithio i'r tŷ, a dychwelai ato efo'r ateb o fewn ychydig o funudau yn yr un modd.

Wedi marw Pero'r negesydd parod, ymhell dros gant oed ci, cawsom Bet, gast ddefaid ifanc ddigon ewyllysgar ond nid mor ddeallus â Phero. Unwaith cafodd Bet bedwar o gŵn bach. Cefais lawer o bleser yn chwarae efo nhw, a gwlithog fu'r bore pan ddiflanasant i'w cartrefi newydd.

Yn wahanol i 'Nhad a minnau, roedd Taid yn daclus iawn – cadw pethau yn eu lle priodol – arfau a defnyddiau, a byddai'n dweud y drefn yn hallt pan fyddai rhywun wedi torri ei ddeddf taclusrwydd.

Lluniodd Taid fwa saeth imi unwaith; dro arall 'chwyrnell' trwy dorri o styllen bren chwarter modfedd o drwch ddarn tuag wyth wrth ddwy fodfedd. Yna gyda'i gyllell boced naddodd fin ar ddwy ymyl hir y pren. Wedyn gwneud rhiciau bob rhyw hanner modfedd hyd y ddwy ymyl finiog. I orffen y chwyrnell torrwyd twll bach yng nghanol un pen a'i gysylltu â llinyn hir. A'r gwaith wedi'i gwblhau, gafaelodd Taid ym mhen y llinyn, tua dwylath o'r chwyrnell a'i chwifio o amgylch ei ben yn wyllt. Gweithiodd y ddyfais yn syth gan droi yn gythreulig o gyflym ar echel y llinyn, â'i sŵn fel Robin Gyrrwr. A dweud y gwir mae gen i awydd ceisio gwneud chwyrnell eto pan ga' i hamdden.

Taid ddysgodd imi wneud sŵn fel Robin Gyrrwr efo 'ngheg hefyd, i weld y gwartheg i gyd yn rhedeg â'u cynffonnau i fyny. Mae'n dal yn effeithiol gan imi arbrofi yr haf diwethaf ar wartheg Emyr, ein cymydog.

Hoffwn fod wedi adnabod Taid Tyncae cyn iddo fynd yn bigog efo fi a phawb arall. Taid wnaeth enwi'r ceffyl pren a gefais ar fy nhrydydd pen-blwydd yn Siancai Siec ar ôl arweinydd Tsieina, a oedd yn amlwg yn y newyddion yr amser hwnnw. Byddai gan Taid ddywediadau pert hefyd. Pan fyddai'n frwd ar ddechrau rhyw waith dywedai '*Fire under galley*. Tân dan dec.'

Er i mi dybio mai'r Rhyfel yn unig a boenai Taid, gwn erbyn hyn fod ei iechyd yn dirywio bryd hynny, ac mai dyna i raddau mawr oedd yn gyfrifol am ei ddiffyg amynedd. Roedd ganddo 'helynt y dŵr', a oedd mor ddrwg fel na allai fynychu'r capel hyd yn oed. Unwaith neu ddwy erioed y cofiaf i Taid fod yn y capel.

Gwaethygodd ei gyflwr, a bu raid iddo fynd am lawdriniaeth i Ysbyty'r *C and A*, Bangor. Cofiaf o'n ymadael yng ngherbyd meddyg o'r enw Jenkins, dyn hynod o annwyl, pan oedd egin ŷd yn torri trwy ddaear Mawrth yng Nghae'r-bont. Credaf ei fod yn gwybod na ddychwelai i weld y cynhaeaf.

Buom yn edrych amdano amryw o weithiau efo tacsi George, a bu arwyddion ei fod yn gwella am sbel, a'n gwnaeth yn eithaf calonnog, ond daeth galwad frys ac aeth Mam i'r ysbyty i aros gydag o dros ei noson olaf, pryd y clywsant y seiren a ffrwydradau bomiau Hitler ar Fangor, gan wireddu rhybudd Lord Ho Ho – '*We shall bomb the Welsh city with the Jewish Mayor.*'

Mr Coleman oedd y llawfeddyg a geisiodd wella Taid, a chyd-ddigwyddiad oedd imi, ymhen blynyddoedd wedyn, brynu ei dŷ – Coed Isaf, Llan-rhos ger Llandudno. Ni allwn beidio â meddwl amdano yno, ryw fore yn cael brecwast cyn cychwyn am Fangor i roi triniaeth i Taid.

Marwolaeth fy nhaid a achosodd imi sgwennu fy ngherdd gyntaf erioed, a chadwodd Nain hi'n ofalus:

FY NHAID

Bu farw fy nhaid druan
Ar ôl ei waeledd hir;
Marw'n wrol fel bu byw,
A'i droed yn ffordd y gwir.

Bu'n wael am fisoedd lawer,
A'i gystudd oedd yn llym;
Ei ysbryd hedodd ymaith,
A'i gorff o'n da i ddim.

Bu'n trigo ar y Ddaear
Dros ddeg a thrigain blwydd,
Ond yn sydyn iawn un nos,
O'r bomio aeth o'n gŵydd. (1941)

Colli'r taid arall
Ymhen tua dwy flynedd wedi i Taid Tyncae farw, aeth Taid Tarallt yn wael iawn. Doedd o ddim wedi bod yn fo'i hun am rai misoedd cyn hynny, er gwrthod cyfaddef. Cofiaf y pryder amdano, ofn iddo syrthio gan ei fod wedi mynd yn fusgrell braidd, a minnau yn mynd efo fo i ymweld â pherthnasau yn Nhan-y-bryn, Rhyd-y-clafdy. Bws o Langïan i fan ychydig ymhellach na'r fynedfa i Benyberth, ac yna tua hanner awr o daith gerdded. Peth o'r daith ar lwybr hyd ben clawdd llydan. Wedi inni gyrraedd, croeso mawr a chinio, yna mynd i waelod un o gaeau'r fferm i weld yr awyrennau ym Mhenyberth, a oedd am y clawdd terfyn. Gwelais rai'n cael eu cychwyn trwy droi eu propiau efo llaw cyn codi gwib a dringo i'r cymylau ac uwch. Rhai eraill yn disgyn fel hwyaid ar lyn, ac wedi iddyn nhw dawelu yn cael eu gwthio i garej eroplen. Dymunwn i'm blynyddoedd hedfan hefyd, imi gael ymuno â'r Llu Awyr a bod yn beilot. Roedd yr awydd hwn wedi'i gynnau ynof er pan es efo Mam i ymweld â gwersyll yr Awyrlu ym Mhenyberth ar Ddydd yr Ymerodraeth ym 1940. Mae gen i dystysgrif grand efo fy enw arni i brofi nad breuddwydio a wnes i. Ew! Am le diddorol, cael cerdded drwy'r garej lle cedwid awyrennau, a chefais gyffwrdd un. Ond dipyn o siom imi oedd darganfod mai dim ond clwt wedi'i beintio oedd ei chroen hi. Gwelsom ystafelloedd byw a chysgu'r dewrion a oedd i'n gwarchod rhag y 'Jarmans', a'r lle bwyta gyda digonedd o gig a thatw rhôst. Cawsom siarad efo'r dynion awyr yn eu lifrai llwydlas ag adain ar eu hysgwyddau. Digon i hudo unrhyw hogyn i fod yn arwr dros ei wlad. Yn ddiweddarach, daethom i adnabod amryw o ddynion yr Awyrlu a ddeuai i'm cartref i brynu ymenyn, wyau, tatw, moron a llysiau eraill. Tyfodd ein cyfeillgarwch efo dau yn arbennig, a deuent acw am swper yn aml. Arthur Poile oedd un, o New Malden, a ddaeth i gysylltiad wedi diwedd y Rhyfel a pharhaodd yn ffrind i'n teulu tan ei farwolaeth yn y nawdegau cynnar. Soniaf amdano eto ymhellach ymlaen, ond rŵan gwell imi ddisgyn i'r ddaear at fy hanes yn mynd efo Taid i Dan-y-bryn.

Cyraeddasom adref yn saff, a dywedais yr hanes am fy niwrnod cyffrous ym mro yr awyrennau, a'm llygaid yn pefrio, mae'n debyg. Addawodd Nain Tyncae y buasai yn prynu eroplen imi ar ôl y Rhyfel gan y byddai, meddai, ddigon ohonyn nhw ar gael yn rhad. Ond wnaeth hi ddim; anghofio yn ei phrysurdeb, mae'n siŵr. Fuasai Nain byth yn torri'i gair yn fwriadol.

Yn fuan wedi imi fod am dro efo Taid fe aeth i'w wely'n wael, a gwn erbyn hyn mai cancr yn ei wddf oedd ganddo, am iddo ysmygu cetyn bron yn barhaus efallai. Ond doedd neb wedi darganfod fod mwg tybaco yn difetha iechyd bryd hynny, a bu fy Ewyrth Gwilym lawer gwaith yn ceisio fy mherswadio i gymryd *Woodbine* . . . 'Iti gael bod yn ddyn.' Rwyf yn ddiolchgar iawn erbyn hyn imi wrthod bob tro, ac na chyffyrddodd sigarét na chetyn â'm gwefusau erioed. Y rheswm imi beidio efallai oedd y byddai drewdod mwg tybaco ymwelwyr haf yn fy nghartref mor wrthun imi. Hefyd, helpwn Mam i glirio'u llestri, a byddai llawer stwmpyn mewn soser neu yn nofio mewn gweddillion te yn troi fy stumog.

Cofiaf alw yn Nharallt ar ôl te parti yn Neuadd yr Eglwys tua'r diwedd. Taid druan yn griddfan dros y tŷ. Ychydig cyn hynny roedd o wedi codi ac ymwisgo 'i ddal y moto coch am Bwllheli'. A 'Nhad a Gwilym wedi cael trafferth i'w ddarbwyllo a'i gael yn ôl i'w wely. Yn fuan wedyn cerddai Norman a Ieuan, fy nau gefnder, a minnau, tu ôl i'w arch o Darallt i'r Llan.

Galwad ac atyniadau

Dechreuais gael profiadau rhyfedd ar ôl i Taid Tyncae farw. Clywn ei lais yn glir yn galw fy enw ambell dro, a hynny gan amlaf pan fyddwn mewn llecyn arbennig, yn y Morfa, fel y galwem y tir brwynog rhwng y tŷ ac Afon Soch. Parhaodd y profiadau hyn dros rai misoedd. Clywais guriadau rhyfedd oddi mewn i wal fy ystafell wely hefyd aml i dro, na chefais i fyth eglurhad boddhaol amdanynt.

Y Morfa oedd fy nefoedd i yn blentyn, cofiaf bysgota yno er pan oeddwn tua chwech oed. Torri gwialen hir o helyg, mwydo llinyn gwyn mewn inc glas rhag i'r brithyllod craff ei weld, pin wedi'i phlygu'n fachyn i ddechrau, llond pot jam o bryfaid genwair gwinglyd o'r domen dail, ac i ffwrdd â fi'n obeithiol.

Oriau o eistedd wrth yr afon a dim yn gafael. Digalonni braidd. Yna plwc, a chodi'r brithyll cyntaf imi'i ddal erioed. Anghofia i byth y wefr a deimlais yng nghryndod y wialen, er imi ddal cannoedd wedi hynny.

Dro arall daliais rywbeth llawer mwy na brithyll, a hynny ar dir sych. Wrthi'n pysgota yr oeddwn y prynhawn hwnnw pan alwodd fy mam arnaf i gael bwyd. Codais yr enwair a mynd â hi a'i rhoi ar bwys talcen y tŷ, a'r abwyd yn dal ar y bachyn, gyda'r bwriad o ddarfod bwyta gynta medrwn i a mynd yn ôl i sgota. Pan ddychwelais cefais gryn fraw o ganfod un o ieir gorau Nain ynghlwm wrth fy lein Yn ystod yr amser byr a gymerodd imi lyncu fy mwyd roedd yr iâr wedi llyncu'r pryf genwair a'r bachyn o'i fewn.

Gormodiaith efallai oedd honni imi ddal cannoedd o frithyllod, gan y cofiaf oriau meithion heb hyd yn oed lysywen, ond pa wahaniaeth, roeddwn mewn cytgord â Natur yn y Morfa. Hynny, mi gredaf, a'm hysbrydolodd i sgwennu'r gerdd fach hon pan oeddwn yn naw oed:

Y GWANWYN

Gwanwyn eto ddaeth i'n bro,
A chân aderyn llon;
Mae'r gwcw wedi cyrraedd
A mwynder dan ei bron.

Mae'r dolydd wedi glasu,
A dail ar frigau'r coed,
A'r wennol fel yr awel,
Mor chwim â bu erioed. * (1942)

* (Newidiais un gair yn y llinell hon rhag bod unrhyw gamddealltwriaeth. **Mor hoyw ag erioed** oedd y gwreiddiol.)

Y Morfa.

Llam i'r gorffennol ym 1964
Profiad rhyfedd i mi fu dychwelyd i'r hen gartref ar brynhawn o wanwyn, wedi iddo fod yn wag am tua blwyddyn. Nain, Mam a Rowena, fy chwaer, erbyn hynny wedi symud i fwthyn ym Mynytho, oherwydd marwolaeth fy nhad. Ar y pryd roeddwn yn wyddonydd ymchwil yn Labordy Niwclear Berkeley ger Gloucester, ac wedi dod i Lŷn am ychydig o ddyddiau yn ôl fy arfer.

Gan ein bod wedi gollwng tenantiaeth Tyncae erbyn hynny, roedd dychwelyd i'r hen le yn dresmasu. Es i bysgota ar forfa fy mhlentyndod; ac wedi bodloni fy hun nad oedd neb o gwmpas, llithrais yn hiraethus i'r gorffennol yn fy nychymyg wrth archwilio pob cornel o adeiladau'r fferm, yr ardd, a'r tŷ wedi imi ymwthio i mewn trwy ffenestr y neuadd. Teimlad od iawn oedd bod yno. Mor gyfarwydd oeddwn â phopeth ond er hynny dim ond gwactod yn y tŷ, a'r ardd fel jyngl. Y profiad hwnnw a roddodd fod i'r gerdd:

PYSGOTA

Esgus yw'r enwair heddiw,
fy nhrwydded i ddychwelyd. . .
Does neb i'w weld
na sŵn
ond cyffro'r gwanwyn melfed:
ieir y dŵr yn cecru
a'r awel yn cribo'r helyg.
Meillion sydd imi'n fyrddiwn
a llygaid y dydd yn garped blith.

Yn araf mewn ieuenctid
lle gynt y rhedwn.
Y tŷ yn wag!
Ni choeliwn oni bai fod chwyn ar lwybrau'r ardd
a gwifrau'r mieri pigog 'draws y ddôr,
sy'n profi fod y gelyn wedi bod. (1964)

Fy Nhad
Mae tair llinell olaf y gerdd 'Pysgota' yn cyfeirio at effaith marwolaeth fy nhad wrth gwrs. Y gelyn oedd Angau. Bu i'm myfyrdod yn yr hen gartref y diwrnod hwnnw fy atgoffa o lawer o bethau cysylltiedig â fy

nhad – sylweddolais pa mor galed y gweithiai a pha mor amryddawn ydoedd gyda'i feddyginiaethau i anifeiliaid, yn 'fenyn gwyrdd' ac Oel Morris Evans. A phan fyddai buwch wedi chwyddo wedi bod ar borfa rhy dda, gwyddai rhwng pa ddwy asen i wthio llafn ei gyllell boced i ollwng y nwy ffrwydrol o'i bol. Cofiaf un ar lawr bron â marw, fel balŵn yn y beudy, ac yntau'n cyflawni ei weithred glau arni nes bod twll yn ei hochr yn hisian fel clagwydd, yna'r fuwch a deneuodd mewn eiliadau yn codi ar ei thraed a dechrau cnoi'i chil.

Roedd gan fy nhad allu rhyfeddol i gyfaddasu. Darganfyddai rywbeth cymwys i ateb pob diben, a hynny mewn dull anarferol. (*Lateral thinking* yw'r term Saesneg, na chlywodd fy nhad amdano erioed rwy'n eithaf siŵr.) Yn ffodus, neu'r gwrthwyneb, credaf i minnau etifeddu peth o'r ddawn.

Dros gyfnod o rai blynyddoedd bu bywyd fy nhad yn galetach nag arfer gan iddo ddechrau dioddef yn ysbeidiol gan fyctod a ymddangosai'n gysylltiol â llwch gwair. Lawer gwaith, gwelais o'n ymladd am ei anadl a'i wefusau'n biws.

Erbyn hyn, rwyf yn edifeiriol iawn am na fu imi helpu mwy ar fy nhad ar y fferm pan oedd cyfle. Fy ymweliad â'r hen gartref a theimlo ei agosrwydd y diwrnod rhyfedd hwnnw a achosodd imi sgwennu'r gerdd hon hefyd:

YR HEN FFERMWR

Ei wyneb lledr
yn grych o wên
a'i lygaid
yn befr o groeso
fel gwlithyn ym mhaladr y bore.

Mydr ei droed cyfarwydd;
ei esgidiau blin
yn drwm gan laid. . .
Aroglau mêl y buchod
yn gymysg â phersawr beudy,
crysbais yn fratiog gan lafur
a llinyn yn addurno'i lodrau.
(Meistr ar gyfaddasu!)

Epleswyd ei feddyliau yn y pridd,
distyllwyd hwynt yn ddafnau o ddoethineb.

Wrth wylio'r tymhorau carlam
mi gofiaf. . .
wrth grwydro'r caeau
fy hunan
clywaf ei lais. . .
Dychymyg
mae'n debyg,
ond yn rhyfeddol
gogwydda'r ŷd ei bennau i wrando. (1975)

Y Drejar

Yn ogystal â bod yn lle i sylwi ar Natur, yn y Morfa hefyd y cefais fy mhrofiad cyntaf o beirianyddiaeth fecanyddol. Yno, daeth anghenfil swnllyd, aruthr, i garthu mwd o'r afon – y drejar. Roedd hwn yn brofiad cyffrous i mi a phlant eraill yr ardal. Nid yn unig wrth wylio'r peiriant yn codi llwythi o wely'r afon trwy daflu a chodi'i bwced ddur yn rheolaidd, ond hefyd trwy adnabod y criw o fechgyn hwyliog, o ardal Llanrug yn bennaf, a oedd yn gyrru a helpu'r peiriant i wneud ei waith.

Wyddwn i ddim cynt fod cymaint o lysywennod yn afon Soch. Codid dwsin neu fwy gyda phob bwcedaid o laid, a llawer ohonynt droedfedd neu fwy o hyd.

Fel y soniais, roedd y gweithgaredd mwdlyd o ddiddordeb i holl blant yr ardal, ond roeddwn i mewn sefyllfa arbennig – y criw a weithiai gyda'r drejar yn lletya yn tŷ ni. A dyna i chi hwyl, giang o hogiau ifanc direidus, a'r fforman canol oed – Mr Crossley – yn ceisio cadw trefn arnyn nhw – Ifan Williams, Cledwyn Jones ac eraill a gyrhaeddai bob bore Llun ar fotobeiciau.

Gan Ifan, arlunydd gwych, y cefais i fotor trydan, a roes oriau o bleser imi, gan ennyn fy niddordeb a'm dealltwriaeth o effeithiau'r hylif rhyfeddol. Dysgais lawer am drydan hefyd yr amser hwnnw trwy chwarae efo hen fatri weiarles, a wnaeth imi ystyried nad oedd popeth a effeithiai arnom yn weladwy. Dyma gerdd i'r *120 V, HT battery*:

HEN FATRI WEIARLES
(Yn y pedwar degau cynnar)

Er i'w nwyf wanychu
gormod,
i hudo'r lleisiau estron o si'r ionosffêr,
parhâi peth o'i awch,
a'i boer yn fythol barod.

Trwy ryfyg,
fy mysedd dengmlwydd
a wybu frath ei foglymau.

Dawnsiai mellt ei ryfeddod
hyd wifrau fy niddordeb.

Ar noswyliau
llachar fy nifyrrwch,
hyrwyddodd storm fy ystrywiau;
yn wae ar gliced,
a yrrai'r gath i gythraul.

Yn raddol,
beiddiais
ymyrryd â'i berfeddion,
i ddatrys
dirgelwch pŷg ei gelloedd.

Ei foltau
a hysiodd filgi fy chwilfrydedd
i hela
sg'farnogod anweledig. (1982)

Roedd y drejar mor drwm nes bod rhaid iddo gael rafftiau coed trwchus o dan ei draciau rhag iddo suddo i'r ddaear. Fo'i hun fyddai'n symud y rafftiau fel yr âi ymlaen. Digwyddodd anffawd garw un prynhawn Gwener pan lithrodd a throi ar ei ochr bron wrth Bont-newydd: ei drwnc mawr hir ar osgo rhyfygus pan ddaethom o'r ysgol ar y bws pedwar. Y bore wedyn, er mor glyfar a chryf oedd y drejar, darostyngiad eithaf iddo oedd gorfod cael ei godi ar ei draed gan Bes a Corwen trwy glymu rhaff o ben ei drwnc i dinbren y cesig. Y ddwy'n cyd-dynnu a chyflawni'r weithred orchestol.

Bu farw'r ddwy hen gaseg yn fuan wedyn, fel Samson ar ôl dangos cryfder aruthrol am y tro olaf. I ddilyn yn yr olyniaeth daeth Liws, caseg ddu, i Darallt, a Joli, caseg winau, i'n tŷ ni. A Liws a Joli fu'n tynnu'r aradr a'r troliau nes y daeth y tractor glas ar y cyd efo Gwilym.

Tripiau Ysgol Sul

Er imi fod ar o leiaf ddeg trip Ysgol Sul yn ystod fy ieuenctid, saif rhai yn fwy amlwg na'r lleill yn fy nghof. Y cyntaf i Landudno pan oeddwn tua phump oed yw'r amlycaf, gan nad oeddwn wedi bod ymhellach na Phwllheli cyn hynny, a gwelais ryfeddodau fil yno. Cofiaf gerdded hyd y pier, gwylio sioe *Punch and Judy*, mynd i fyny'r Gogarth Fawr ar y tram, gweld o'r Prom y llong danfor *Thetis*, a oedd mewn argyfwng yn y bae, a chael pwmp dŵr o Woolworths, gan Dad. Yna, roeddwn yn or-awyddus i ddefnyddio'r pwmp lliwgar, ac yn dreth ar amynedd fy nhad mae'n siŵr, fel wrth gael torri 'ngwallt, nes inni ganfod baddon o garreg yn llawn dŵr ar Stryd Madog Gefn. Dyna eistedd yno ar ymyl y baddon, gyda'r bibell sugno yn y dŵr, a symud braich y pwmp yn gyflym i fyny ac i lawr . . . Ond dim diferyn o'r pwmp, a 'Nhad yn wyllt am fynd â fo'n ôl i Mr Woolworth, nes inni gael 'brenwêf' a suddo'r pwmp i'w breimio efo dŵr cyn dechrau pympio. Wedyn, llwyddiant, llifeiriant o'r peiriant pympio, a finnau eisiau aros yno drwy'r prynhawn, fel Cynan wrth bistyll ei nain, a'm bwced fach innau yn fwy na llawn. Alla i byth fynd heibio'r hen faddon carreg heb gofio am yr achlysur hwnnw, er mai blodau sydd ynddo bellach.

Bob gwanwyn, dechreuem ni'r plant swnian ar oedolion y capel i drefnu trip. Ifor Evans, Nant, yn ymateb trwy alw cyfarfod ar ôl oedfaon nos Sul, yn Neuadd yr Eglwys fel arfer, gan y gallai trip uno'r enwadau pan fethodd yr Efengyl. Wedi tipyn o drafod a oedd angen trip o gwbl, a ninnau'r plant ar bigau'r drain mewn gobaith, penderfynid cael un, a gwneid yr un cynnig bob tro gan rywun am yr amseriad – 'Beth am rhwng y ddau gynhaeaf?' Wedi cytuno pa bryd i fynd, roedd yn rhaid dewis lle. I ni'r plant doedd unman cystal â'r Rhyl, a'r oedolion, gan gynnwys Ann Jones Plasbont a Sephora Tŷ'r-gof, eisiau rhywle tawelach. Cyfaddawdu fyddai'r canlyniad, a bob yn ail flwyddyn ni'r plant yn ennill, ac yn ein dychymyg, ar y *Ghost Train*, cychod y *Marine Lake* a'r *Mighty Mouse* cyn cyrraedd adref o'r pwyllgor.

Wn i ddim syniad pwy oedd trip i Gaer, a gyfunai fynd rownd siopau rhyfeddol y ddinas honno ag ymweliad â'r sŵ. Prynais gamera mewn siop ar draws y ffordd i'r Gadeirlan, ac wedyn tynnu lluniau pobl Llangïan, mwncwn, llewod ac arth fawr wen. Elfennol iawn oedd sŵ Caer bryd hynny o'i chymharu â heddiw; wedi addasu silindrau concrid, a wnaed wrth y miloedd i rwystro 'Jarmans' ddod yma amser y Rhyfel, i wneud corlannau anifeiliaid. Ond pa wahaniaeth? I ni'r plant roedd rhamant rownd pob cornel ac mi dynnais lun merch fach arbennig iawn i mi bryd hynny, llun a drysoraf hyd heddiw.

Llanllyfni

Pleser i mi bob haf dros gyfnod o flynyddoedd fyddai mynd gyda Nain Tyncae i aros am wythnos yn Llanllyfni efo Anti Lisi ac Yncl Robat, yn 'Preswylfa', 118 Rhedyw Road, yn agos i dop y pentref. Trên o Bwllheli i Ben-y-groes, taith ramantus iawn i fy nain, trwy ardal ei mebyd, ar ôl Afon Wen, Chwilog, Ynys, Llangybi, Bryncir, Pant Glas a phen ein taith, Pen-y-groes.

Cyfeiriai Nain at lefydd a fyddai'n dwyn llawer o atgofion iddi – Cors-y-Wlad, Bryn Ifan, Llwynbedw, Cadairelwa, Cefn-graeanog, Ynys-yr-arch, Capel Ucha a Bwlch Derwin. Adroddai straeon a rhigymau am bobl a gofiai. Âi'r trên heibio Llanllyfni cyn cyrraedd gorsaf Pen-y-groes, a byddem yn chwifio hances boced yn arwydd i Anti Lisi, a fyddai'n gwylio yn ffenestr y llofft, ein bod ar ein ffordd. Dim ond rhyw chwarter awr o daith gerdded wedyn a byddem yng nghanol stŵr croesawus Anti Lisi – ei balchder o'n gweld gymaint â phe buasem wedi cyrraedd yno o'r Mericia. Mor awyddus i wybod hanesion am Ben Llŷn fel na wyddai weithiau beth i'w ddweud wrthym nesaf.

Byddem wedi cael te, ac Anti Lisi wedi tawelu dipyn erbyn i Yncl Robat gyrraedd adref ar fws y chwarel. Gof oedd ef yn chwarel lechi Dorothea, Tal-y-sarn, Dyffryn Nantlle, lle gweithiai Rhisiard, brawd fy nhaid hefyd. Distaw oedd Robat Ifans, ond â'i groeso inni mor wresog ag un Lisi, fel y galwai'i wraig bob amser, efo rhyw dinc o anwyldeb bachgennaidd yn ei lais. Deuai adref mewn ofarôl, cap, a hances goch efo smotiau gwyn am ei wddf. Cariai dun bwyd a phiser te tramp, a byddai düwch gwaith y dydd ar ei ddwylo a'i wyneb.

Ei orchwyl cyntaf fyddai ymolchi yn y cwt sinc allan, lle roedd tap dŵr oer, desgil enamel a lwmp o sebon *Pears*. Yna, wedi newid i siwt a gwasgod efo cadwyn wats aur ar ei thraws, a rhoi slipers a chael cinio chwarel, llwythai'i getyn a'i danio efo spilsan hir o'r grât tra'n ymlacio i sgwrsio efo ni.

Efo Nain ac Anti Lisi yng ngardd Preswylfa, 1938.

Soniai am droeon trwstan yn y chwarel, y chwarae triciau diniwed i dorri ar syrffed y trymwaith dyddiol – hanesion am dynnu coes ac am lysenwau doniol rhai o'r chwarelwyr. Yr oedd gefail y chwarel yn gyfrifol am ffurfio a thrwsio celfi haearn – wagenni, cledrau, blondinau ac yn y blaen, a hefyd am hogi a chaledu arfau, yn ebillod a ddefnyddid i dyllu'r graig cyn tanio, a'r cynion i hollti'r llechi wedyn.

Roedd dwylo'r gof wedi caledu wrth drin haearn poeth nes y gallai afael mewn darnau haearn o dymheredd llawer uwch na'r gweithwyr llechi. Ar bwys hyn, tric a gyflawnid yn aml, yn enwedig ar weithiwr newydd nad amheuai ddim, fyddai trosglwyddo gwaith rhy boeth iddo afael ynddo, o law y gof na ddioddefai unrhyw anesmwythyd.

Cefais lawer o wybodaeth am weithgareddau chwarel gan Yncl Robat ac eglurhad am egwyddorion injan stêm, deinamo, pwmp dŵr, peiriant llifio llechi a llawer o bethau eraill. Nid hanes yn unig, ychwaith. Byddai'n trefnu efo'r Stiwart i Nain a minnau gael ymweld â Chwarel Dorothea, pryd yr arweiniai ni o gwmpas i weld y rhyfeddodau – y twll anferth o'r fan y codid darnau o'r graig ar ôl saethu, gyda help wagenni yn rhedeg ar wifrau tewion o waelod y pwll. Pwll a oedd mor ddwfn nes bod pobl yn edrych fel morgrug gwynion ar ei waelod. Gwyn oedd dillad y chwarelwyr. Roedd un injan stêm fawr yn y tŵr, dan y cloc, yn hisian ddydd a nos wrth godi dŵr rhag i'r pwll foddi, fel y mae wedi gwneud erbyn hyn. Injan arall yn tuchan wrth ddirwyn y gwifrau a godai'r darnau mawr o graig o'r pwll, i'w rhoi ar wagenni a'u symud hyd y cledrau i'r sièd lifio lle caent eu torri'n dafellau yn barod i'w hollti. Ar ddiwrnodau cynnes, braf eisteddai'r holltwyr llechi allan yn yr heulwen; pob un gyda thwmpath o ffrwyth ei lafur wrth ei ochr. Trwy astudio graen y garreg gwyddent ym mha le i'w tharo i gael llechen berffaith o'r trwch iawn bob tro. Yna, cludid y llechi i'w trimio gan beiriant a chyllyll miniog ynddo, i'r union faint angenhreidiol i doi adeiladau'r byd. Byddwn yn bryderus braidd pan fyddai tanio yn y pwll, er i Yncl Robat ein sicrhau nad oedd berygl i ni ar y top. Wedi i'r creigwyr ebillio – hynny yw, torri tyllau dwfn tua modfedd o ddiamedr yn y creigiau, gwasgid powdr i bob twll efo polyn o bren, ac yna cysylltu'r ffiwsiau. Pan fyddai pob twll yn barod seiniai'r corn fel arwydd i bawb ei heglu hi am y cytiau mochel, pawb ond yr arwr a âi rownd i oleuo'r ffiwsiau cyn bod yr olaf i gyrraedd diogelwch. (Gwn am y teimlad, wedi bod ar 'gwrs distryw' yn y Fyddin, diffyg ffydd yn hyd y ffiws yn creu awydd cryf i redeg, yr oedd rhaid inni'i orchfygu, rhag ofn syrthio.) Yna, ail ganiad rhybuddiol corn Dorothea, a distawrwydd llethol, disgwylgar yn dilyn, cyn chwech neu fwy o ffrwydradau uffernol, un ar ôl y llall, a chymylau o lwch yn codi o'r pwll.

Byddai rhywun yn cyfri'r cleciau, meddai Yncl Robat, a dim ond ar ôl i'r tyllau oll danio yr oedd hi'n saff. Ategid hynny pan seiniai'r corn am y trydydd tro, a deuai'r gweithwyr i'r golwg fel cwningod o'u tyllau, gan ddechrau symud ysbail yr ergydio heb oedi. Ond, pe byddai un ergyd neu fwy yn fyr, rhaid byddai gohirio'r trydydd caniad ac archwilio.

Gorchwyl llawn pryder, mi ddychmygaf, oedd popeth i'w wneud â'r tanio. Clywais straeon am ddamweiniau brawychus – un am y powdr yn ffrwydro wrth ei bwnio, a'r pren wedi'i ganfod filltir i ffwrdd medden nhw, wedi'i saethu trwy gorff y gwthiwr truan. Un arall am daniwr nad oedd dim y gellid ei wneud ond hel ei swrwd i sach. P'run bynnag, canodd y corn diogelwch bob tro y buom ni yno. Caem foddhad arbennig o weld y gof yn taro'r haearn gwynias gan ffurfio'r gwaith o'r gwreichion. Ymwelais â safle chwarel Dorothea dros hanner can mlynedd yn ddiweddarach, ar gyda'r nos hyfryd, 'gydag enaid hoff cytûn', ac mae gennyf dusw o flodau gwylltion wedi'u sychu, tu ôl i wydr mewn ffrâm, i brofi nad breuddwydio a wnes i. Gwelais yno adfail gefail, y sièd lifio, a thŵr yr injan bympio gerllaw y pwll dyfrllyd du, sy'n fy mharlysu ag arswyd y funud hon wrth feddwl amdano a chofio'i ddyfnder.

Roedd Yncl Robat yn bysgotwr pluen crefftus hefyd. Fo ddysgodd imi'r dull hwnnw o ddal brithyllod. Chwipiai ddŵr gwyllt afon Llyfni, a dôi brithyll i'w law a thrwy'r twll i'r fasged bob munud, nid fel yn afonydd dioglyd Llŷn, lle roedd yn rhaid disgwyl am oriau cyn cael un brathiad weithiau. Pe na chydiai dim, newidiai fy ewyrthr doeth y 'blaen' am un arall efo plu gwahanol arno a gariai yn barod wedi'i glymu o gylch ei het. Cap i'r chwarel ond het bob amser i bysgota. A thra'n sgwrsio'n hamddenol llenwai'r fasged. A phan fyddai digon i ni a Lisi, a rhai i'w rhannu i hwn a'r llall, aem adref. Gan gymaint ffydd Anti Lisi yn ei gŵr medrus byddai'r badell ffrïo'n boeth, barod pan gyrhaeddem. Llai nag awr o'r tŷ i gael helfa o frithyllod bras i swper. Nid pysgotwr yn unig oedd Robat Ifans, roedd hefyd yn wneuthurwr y gwiail pysgota a'r plu a ddefnyddiai. Yn wir, gallai droi ei law at unrhyw waith.

Gwyrth arall yn Llanllyfni i mi oedd trydan, nad oedd gennym ni gartref. Golygai hynny weiarles heb fatri, a oedd yn gallu codi lleisiau o'r Mericia, er bod dipyn o sŵn y môr yn y cefndir; tegell a ferwai heb ei roi ar y tân; haearn smwddio a boethai dim ond plygio'i gynffon i'r soced degan frown ar y palis; a'r bylbiau llachar yn ymateb i gyffyrddiad â'r switsiau.

Cefais lawer o gysur hefyd pan oeddwn yn fychan wrth syllu trwy ffenestri lliw drws a fyddai rhwng y parlwr ffrynt a'r neuadd yno. Y coch, melyn, gwyrdd a phiws yn gallu achosi i'r un amgylchedd edrych a theimlo'n wahanol imi.

Roedd ym Mhreswylfa aelwyd gynnes, groesawgar a hwyliog, a rhai'n galw byth a hefyd am sgwrs neu gymwynas. Ym mhen draw'r ardd roedd gwely o'r riwbob gorau a welais i erioed, a thu hwnt i'r terfyn yng nghae Cae Du, trigai tarw mawr, ffyrnig yr olwg. Clywem ei ru isel, fel sŵn offeryn bas dwbl, o'r tŷ ambell noson. Cofiaf i hynny ychwanegu at glydwch yr aelwyd i mi, er imi bryderu weithiau wrth ddychmygu y gallai'r tarw ddod drwy'r clawdd llechi fel cyllell trwy fenyn pe dymunai.

Ond er y llawenydd a oedd i'w deimlo'n ymbelydru yng nghartref Lisi a Robat Ifans, roedd olion tristwch yno hefyd. Llun a phwrs gleiniau 'Kate Bach', a fu farw'n ddim ond saith oed, mewn lle amlwg yn y cwpwrdd gwydr. Yna eu mab a anwyd rai blynyddoedd wedyn, Tomi Rees, yn dioddef o glefyd y galon. Bu yntau farw yn ei dridegau cynnar, gan adael Margiad ei wraig a thri o blant mân – Catherine, Robert a Waren.

Fel tad Robat Ifans, a oedd wedi gwneud pob dodrefnyn a oedd ym Mhreswylfa â'i ddwylo'i hun yn anrheg priodas i Robat a Lisi, saer coed medrus oedd Tomi Rees. Gweithiai yn chwarel Dorothea fel ei dad, ar ôl gwneud ei brentisiaeth efo'i ewythr ym Mhwllheli. Priododd â Margaret Owen o Lanllyfni, geneth ifanc arbennig o dlws, a sefydlu cartref yno. Bu farw eu plentyn cyntaf ychydig fisoedd oed, a barodd imi ysgrifennu cerdd fach er coffâd amdani, eto pan oeddwn yn naw oed. Dyma ddau bennill o'r pedwar:

EMILY WYN

Bu farw Emily fechan,
Y newydd sydd mor drist;
Ei henaid a'i gadawodd,
I gysgu yn y gist.

Fe ddaeth y fechan siriol
I'r Byd ar eira gwyn.
Dywedwn gyda'n gilydd -
Ffarwel i Emily Wyn. (1942)

Yn rhy gyflym o lawer i mi, deuai ein hwythnos o wyliau yn Llanllyfni i ben. Ar ôl cerdded i Lwyngwanadl, Cefn-graeanog a lleoedd eraill na chofiaf eu henwau ar y funud, i weld perthnasau a chyfeillion Nain, deuai bore dagreuol ymadael, ac Anti Lisi, fel petasem yn mynd i'r Mericia yn ôl. Cerdded i orsaf Pen-y-groes i gyfarfod y trên, hwnnw'n cyrraedd dan chwythu cymylau o fwg a stêm, aros funud i ni eistedd, ac yna'n aml besychu cyn ailafael yn y cledrau. Doedd wiw inni anghofio codi hances boced trwy ffenestr agored y trên ar Anti Lisi unwaith eto. Byddai yn ffenestr ei llofft nes i'r trên bwffian o'i golwg tua'r Berth a Bryn-y-gro, i'n dwyn yn ôl i Lŷn am flwyddyn arall. Er byddai'r hen bâr, a gyfarfu gyntaf yn Llŷn, yn ymweld â ninnau ambell dro hefyd. A chofiaf i ninnau fynd yno am y diwrnod i Ffair Llanllyfni droeon, achlysur, mi deimlaf, a ddeuai ag atgofion am ddifyrrwch ieuenctid, a hiraeth am hen gariadon i Nain. Ategodd Anti Lisi y farn arall a glywais y byddai Nain yn 'dipyn o bisyn' yn nyddiau ei gwanwyn, a llawer o lanciau yn ymgeisio am ei chusan os nad am ei chalon hefyd. Cilwenai Nain yn foddhaus heb addef na gwadu dim.

Yn Ffair Llanllyfni efo Yncl Robat y prynais i arfau gwaith gyntaf ac mae rhai ohonynt gen i o hyd. Cadwaf nhw'n ofalus, ond nid am eu defnyddioldeb mwyach.

Flynyddoedd ar ôl yr amser pan âi Nain a minnau ar ein gwyliau haf atynt, wedi inni gael car, a minnau'n yrrwr trwyddedig, cofiaf fynd i'w cyrchu i aros yn Nhyncae am ychydig ddyddiau. Erbyn hynny, roeddynt yn ymylu ar eu hail blentyndod, a minnau'n teimlo peth o'r rhamant wrth fynd â nhw yn y car o gwmpas ardal eu canlyn cynnar.

Cychwyn y wibdaith atgofus trwy aros ychydig funudau wrth hen gartref Anti Lisi – Ty'n-lôn-Saethon. Cais ganddynt i symud ymlaen ryw ddau ganllath ac aros wedyn. Man cysegredig eu cyfarfyddiad cyntaf. Roedd hi y bore hwnnw, tua thrigain mlynedd yn gynharach, yn hel buches odro ar hyd y ffordd, ac yn cael dipyn o drafferth. Digwyddodd bachgen ifanc golygus o Lanllyfni, a oedd newydd ddechrau'i brentisiaeth fel gof yng ngefail Rhydgaled, Nanhoron, ddod heibio ar ei feic. Gofynnodd i'r eneth landeg efo'r gwallt du cyrliog a gâi ei helpu efo'r gwartheg. Derbyniodd y cynnig a syrthiodd y ddau mewn cariad, a phriodi yng Nghapel y Nant, lle'r oedd yn rhaid inni alw. Ond roedd un ffordd arall o bwys mawr iddynt, y dymunent fynd ar hyd-ddi, rhwng gefail Rhydgaled a Llidiart-y-dŵr. Ni ddeallwn i pam nes inni gyrraedd yr adwy i'r allt goediog, bron gyferbyn â llyn y Felin Newydd, pryd y gofynnwyd imi barcio. 'Wyt ti'n cofio, Lisi bach?' meddai Yncl Robat, gyda goslef hiraethus, a fflach gobaith ieuenctid pell yn ei lygaid – 'Fan'ma wnaethom ni gusanu gynta 'rioed.' Ac am foment neidiodd y calendr yn ôl i droad y ganrif ddiwethaf, y ddau'n ifanc eilwaith, a minnau'n profi peth o'u hud.

Dyna'r tro olaf iddynt ddod am dro i Lŷn. Bu farw Lisi o fewn blwyddyn neu ddwy, a Robat yn byw am bedair neu bum mlynedd arall, cyn cadw'r oed â Lisi ei unig gariad, Kate Bach, Tomi Rees a Margiad ac Emily Wyn, wrth Bont y Crychddwr, Llanllyfni.

Niwl y Gwanwyn

Mellt a tharanau

Parhaodd fy niddordeb mewn pysgota. Wedi cyrraedd tua naw oed dechreuais grwydro i rannau pellach o afon Soch, i lawr at yr Aber ac i fyny heibio Dwylan, Rhydolion, Glan-Soch, Deuglawdd a hefyd uwchlaw gefail Seithbont. Teimlwn fy hun yn dipyn o bysgotwr erbyn hyn, efo gwialen newydd a gefais yn anrheg gan Yncl Robat, Llanllyfni; un yr oedd o wedi'i gwneud imi'n gelfydd iawn â'i ddwylo'i hun.

Wrth sôn am bysgota, cofiaf un gyda'r nos arbennig gyda rhai o'r bechgyn yng Nglan-Soch. Duodd yr awyr fel inc o gyfeiriad yr Wyddfa. Storm o fellt a tharanau yn agosáu. Ymhen sbel cadarnhawyd hynny gan gryniadau tabyrddau'r tywydd a glywem; ond yn ddigon pell i beidio ag achosi pryder inni.

A ninnau wedi llwyr ymgolli yn hela'r brithyllod, ymgripiodd y storm yn ddychrynllyd o agos heb inni sylweddoli. 'Y nefoedd uwch fy mhen a dduodd fel y nos . . .' fel y dywedodd Ehedydd Iâl yn ei emyn. Penderfynasom gychwyn am adref, dipyn yn ofnus erbyn hynny a bod yn onest. Roedd y tyniant trydanol i'w deimlo . . . yn codi'n gwalltiau, ac wrth groesi rhyd, a'n gwiail pysgota yn ein dwylo, roedd tân Sant Elmo ar eu hyd a manfellt ar eu blaenau. Mae'r atgof yn codi arswyd arna i heddiw, wedi imi ddysgu dipyn mwy am drydan a mellt. Dim ond cael a chael fu inni gyrraedd tŷ Glan-Soch o flaen y storm, un o'r rhai ffyrnicaf a gofiaf erioed.

Roeddwn wedi fy magu efo rhyw barchedig ofn tuag at fellt, ar ôl clywed am Wil Tŷ-gwyn, efallai, a laddwyd gan fellten wrth gysgodi dan goeden ar dir Coed-y-fron, pan oeddwn i tua phedair oed. Clywais yr hanes ganwaith gan fy nhad, gyda'r rhybudd i beidio byth ag ymochel dan goeden pan fyddai terfysg. Soniai hefyd fel y daeth yn storm erchyll yn ystod cynhebrwng Wil druan, ac fel yr adlewyrchai'r mellt oddi ar blât ei arch wrth iddo gael ei ollwng i'r ddaear. Clywais hefyd y bu cyd-ddigwyddiad rhyfeddol yn ystod cynhebrwng tad Wil ymhen blynyddoedd lawer wedyn – un fflach a tharan wrth iddo yntau gael ei ollwng i'r pridd.

Cofiaf am stormydd terfysg eraill yn yr un cyfnod. Un nos Sul, fy nain a minnau gartref ein hunain pan ddaeth yn storm aruthrol. Nain wedi amau bod un yn agosáu ac wedi cyflawni'r ddefod arferol o guddio'r cyllyll a'r ffyrc oll, troi pob drych â'i wyneb at y mur, a datgysylltu'r weiarles, fel y rhybuddiodd Idwal Jones inni wneud.

Dyma'r fflachiadau'n dechrau, Nain yn dal clustog ar ei hwyneb rhag gweld y mellt a finnau'n llochesu tu ôl i Nain ar y soffa yn y parlwr-mawr, efo fy mysedd yn fy nghlustiau rhag clywed y taranau, a oedd fel magnelau yn tanio, a'r glec yn cyd-ddigwydd â'r fellten bob tro, a olygai fod y storm union uwch ein pennau. Roedd yn nosi, ac wedi i'r storm liniaru dipyn, Nain yn penderfynu mynd i'r gegin i nôl lamp baraffîn. Ceisiodd amseru'r swydd ryfygus rhwng y mellt trwy gychwyn ar ei thaith yn syth ar ôl i un fellten ddigwydd, gyda'r gred na ddôi un arall yn union ar ei hôl.

Yn yr un cyfnod o stormydd, cofiaf fy nhad yn mynd i groesffordd Ty'n-ffrwd, lle mae ffordd gul yn fforchi am Borthneigwl o'r ffordd rhwng Llangïan â Llanengan, gan achub Dafydd Roberts, dyn dall o'r ardal a welsai yn croesi'r Bont-newydd ychydig cyn i'r storm dorri. Darganfu Dafydd wedi drysu'n lân ac wedi mynd ar ei ben i'r clawdd drain. Daeth Dad ag ef i'n cartref yn wlyb at ei groen.

Doedd Dafydd Robaits ddim yn ddieithr i'n tŷ ni. Galwai weithiau, gyda'i ffon wen, am sgwrs a chwpaned o de. Doeddwn i ddim yn hoff iawn ohono pan oeddwn i'n fychan, am y byddai'n dweud y dôi 'aderyn y bwn' i fy nôl pe bawn i'n fachgen drwg. Wyddwn i ddim sut aderyn i'w ddisgwyl, ond yn fy nychymyg roedd yn debyg i estrys enfawr, du, gyda dwy boced i gario plant i ffwrdd. Ond penderfynais nad oedd yr aderyn peryglus o gwmpas mewn storm gan na soniodd Dafydd Robaits ddim amdano y pnawn hwnnw.

Jac

Wedi imi dyfu dipyn, doedd arna i ddim ofn unrhyw aderyn, ac eithrio'r clagwydd ac, yn wir, aderyn fu fy ffrind gorau am gyfnod, sef Jac. Ie, jac-y-do. Fe'i hachubais o'n gyw noeth bron, wedi syrthio i lawr simnai Tai'r Lôn, Llangïan, a oedd yn wag ar y pryd. Yn fuan daeth Jac i'm hystyried yn dad neu fam iddo a bwytâi'n awchus o'm llaw. Tyfodd yn gyflym a chael côt o blu, cynffon, ac adenydd. Roedd yn hynod o ddeallus. Edrychai'n feddylgar arnaf a'i ben ar un ochr pan siaradwn ag o. Ar ôl dipyn o ymarfer hedfan, byddai Jac yn mwynhau ei ryddid asgellog bob dydd ac yn cysgu ar silff allanol ffenestr f'ystafell wely bob nos. Gyda thoriad gwawr yn ddi-feth curai ar y gwydr efo'i big fel petai'n fy annog i godi. A phan fyddwn allan byddai Jac yn glanio ar fy ysgwydd. Dim ond imi alw'i enw. Clywai fi o gryn bellter, milltir a mwy, rwy'n siŵr. Y funud nesaf gwelwn Jac yn anelu'n syth ataf, a sefyll ar fy ysgwydd gan ysgwyd ei adenydd yn frwd i'm croesawu. Yna, neidiai ar fy mhen gan chwilota am chwain yn fy ngwallt. Rhoddai ei big yn fy nghlustiau hefyd rhag ofn fod rhywbeth yn cuddio ynddynt. Pan ddaeth y gwanwyn y flwyddyn wedyn daeth Jac â chymar adref efo fo, ond swil iawn oedd hi, yn sefyllian ar y corn neu ar goeden gyfagos yn disgwyl i Jac gymryd crystyn o'm llaw a'i rannu efo hi. Yn raddol prinhaodd ymweliadau Jac a'i gariad nes imi beidio â'u gweld am fisoedd lawer. Ond pan ddaeth gaeaf caled, pwy oedd ar silff fy ffenestr un bore, feddyliech chi, wedi cofio'r llaw a'i bwydodd yn gyw bach, ac wedi dychwelyd mewn gobaith pan oedd bwyd yn brin. Mi gafodd fwyd wrth gwrs ond ddôi o ddim ar fy ysgwydd fel cynt ac wedi i'r tywydd feirioli welais i mo fy ffrind pluog wedyn. Da o beth, achos gallai fod wedi dod â chawod o jaciau bach efo fo i ddwyn wyau ieir Nain. Allwn i byth saethu'r un o'i deulu wedi adnabod Jac.

Ymochel

Erys storm arall hefyd yn danbaid yn fy nghof, flynyddoedd yn ddiweddarach pan oeddwn yn cerdded tuag adref o'r Aber, wedi bod yn cael gwers biano gan Mrs Foulkes yn Nhal-y-bont.

Chynyddodd fy medrusrwydd ar y piano ddim llawer dros y blynyddoedd y bûm yn mynd yno, ond ar ôl darfod y wers byddai cwpaned o de a sgwrs efo f'athrawes a'i mam, Mrs Parry. Roeddynt wedi bod yn byw ym Mryn Gwynt, ac yn ddiweddarach ym Mron-y-Gaer, y ddau le ar ben Allt Greigir ger fy hen gartref, ac o'r herwydd yn adnabod fy nheulu'n dda. Yn ogystal â'r hen hanesion am ddigwyddiadau a chymeriadau'r cylch, roedd gan y ddwy synnwyr digrifwch iach, a byddem yn cael gwledd o chwerthin yn aml. Troeon trwstan digon diniwed oedd sail y miri fel arfer. Atgofion o ddyddiau ieuenctid y naill a'r llall. Roedd Mrs Parry yn ei hwythdegau, mi dybiaf, a Mrs Foulkes tua hanner cant.

Stori a glywais fwy nag unwaith ganddynt oedd am Lydia (Mrs Foulkes) yn eneth ddeunaw oed yn mynd i'r ffordd fawr o Fron-y-Gaer, taith o hanner milltir i gyfarfod y pregethwr oedd i letya yno dros y Sul. Pan ddisgynnodd y parchedig oddi ar gerbyd o Bwllheli ar nos

Sadwrn aeafol a hynod o dywyll, darganfu Lydia ei fod mewn gwth o oedran, a chan ei fod dipyn yn llesg gafaelodd yn ei fraich i'w arwain ar hyd y ffordd gul tua'i chartref. Bu'r cyd-gerdded yn eithaf di-dramgwydd, nes yr oeddynt tua hanner y daith, pan safodd yr hen fachgen yn stond gan wynebu'r clawdd. Gan feddwl mai wedi ffwndro a drysu'i gyfeiriad yr oedd, tynnodd Lydia'n galed yn ei fraich i geisio'i droi i wynebu'r ffordd yr oeddynt i gerdded, nes y clywodd . . . sŵn dŵr yn pistyllu!

Storïau eraill a adroddid yn Nhal-y-bont fyddai am branciau cefnder dawnus Mrs Foulkes – Gwilym, Talgraig, Llangïan – cymeriad hoffus a allai ddiddanu cynulleidfa wrth chwarae organ geg, dweud adroddiadau doniol, a dynwared sŵn anifeiliaid a phethau eraill. Yn ŵr canol oed yn byw yn yr Aber y cofiaf i o. Parhâi ei ddawn digrifwch, ond hanes ei ystrywiau yn ei blentyndod a gawn gan ei fodryb a'i gyfnither, fel hon. Gwisgai bechgyn ifanc gapiau yn yr oes honno. Pan sylwodd Gwilym ar docyn o faw buwch meddal, ffres, yng ngweirglodd Ty'n-y-mur tarodd ei gap drosto a galw ar ffrind. Dywedodd ei fod wedi dal nico o dan ei gap, a bod arno eisiau'i help. 'Pan godai nghap rhuthra di i'r aderyn,' meddai Gwilym, a'i ffrind ymddiriedus yn ufuddhau'n eiddgar!

Arferwn deithio i Abersoch ar fws pedwar ar brynhawn Sadwrn a cherdded yn ôl i Dyncae ar ôl fy ngwers, dros Ben-y-Gaer ac i lawr Allt Greigir, taith o filltir neu ddwy, a roddai fwynhad mawr imi fel arfer. Ond y noson arbennig honno ym mis Awst roedd argoelion storm, yr awyr yn feichiog gan fellt, ond dim taran o bell i'w chlywed na dim, dim ond distawrwydd, trymder llethol, a düwch bygythiol uwchben. Gallwn fod wedi disgwyl am fws, ond penderfynu mentro a wnes i.

Ychydig wedi mynd heibio Tyddyn Callod, balch oeddwn o weld fy nhad. Roedd wedi sylwi ar arwyddion storm, pryderu amdanaf a dod i'm cyfarfod. O'i weld, cryfhaodd fy newrder yn syth, a da hynny achos ychydig o funudau wedyn gwelsom fellten rhwng dau gwmwl yn union uwch ein pennau, a chlec ddychrynllyd yn ei dilyn. Aethom yn ôl dipyn o ffordd a churo ar ddrws Gwydryn, a chroesawyd ni gan William Owen Jones, i ymochel nes i'r storm dawelu.

Rhigymu

Cymeriad arbennig iawn oedd William Owen, W.O. fel y'i gelwid gydag anwyldeb. Does dim digon o ofod i wneud cyfiawnder â'i hanes yma, ond mi rof fraslun. Roedd yn un o chwe brawd Meri Jones, Siop, wedi'i fagu yn Llangïan, ond pan gofiaf o gyntaf roedd yn byw ger Abersoch ac yn cadw siop gigydd yn y pentref hwnnw. Wedi iddo ymddeol a dychwelyd yn ŵr gweddw i Langïan i fyw efo'i chwaer yn y siop y deuthum i'w adnabod yn dda. Erbyn hynny roedd bron yn hollol fyddar. Ond doedd hynny yn mennu dim ar ei frwdfrydedd fel Cynghorydd Plwyf, bargeiniwr am eiddo ac anifeiliaid, nac ar ei ystrywiau.

Yn gynharach yn ei yrfa roedd o wedi bod yn ariannol fentrus, a ffawd o'i blaid nes ei fod yn weddol gyfoethog. Bellach, i mi, dim ond atgofion am ei ddullweddau, ei ddireidi a'i ddoniolwch a erys. Siaradai'n wyllt gyda rhes o besychiadau byr rhwng brawddegau, a'r un pryd yn ceisio cyweirio ei beiriant hybu clywed: dyfais electronig amrwd y dydd, a dorrai allan i wichian yn achlysurol lle bynnag y digwyddai W.O. fod, ambell dro ar ganol y bregeth yn yr Eglwys, lle roedd o'n aelod selog a chynhaliol.

Byddai'n sgwennu penillion am droeon trwstan pobl a chariai doreth o'r fath rigymau ar gefnau hen amlenni ac yn ei ben, gan eu hadrodd yn frysiog fesul cwpled odledig, wedi eu hatalnodi â'i res o fân besychiadau.

Gwahoddai hyn rai i dalu'r pwyth yn ôl trwy sgwennu penillion am bethau a ddigwyddai iddo yntau. Roedd amryw o rigymwyr yn y fro yr amser hwnnw, a minnau yn eu mysg. Ambell dro byddem yn celu enw'r rhigymwr ac yntau yn gorfod dyfalu pwy oedd yn euog. Pan gafodd W.O. anffawd efo trol Tyncae wrth gario llwyth o hadyd i fferm Dwylan roedd yn ddyletswydd arnaf i ymateb:

CYNGOR I'R CYNGHORYDD

Er tyfu ŷd ar anial dir,
Yn dipyn rhatach, dyna'r gwir,
Penderfynodd Wil cyn te,
Brynu hadau yn Llawrdre.
Ei broblem oedd cael benthyg trol
I'w cario i Ddwylan yn ddi-lol,
A chafodd un heb gost na gwae
Gan Robat Huw, ffermwr Tyncae.
Ac ar ei ffordd aeth W.O. –
I lawr yr allt a rownd y tro,
Trwy'r giât a throi i'r chwith a'r dde,

I gyrraedd sgubor fawr Llawrdre.
Llwythodd ddeg o sachau llawn
A mynd yn dalog efo'r grawn.
Ond ar gornel, eithaf hawdd,
Aeth un olwyn at y clawdd,
A dringo i fyny carreg fawr
Nes troi o'r drol â'i phen i lawr.
Os gwir yw'r stori hyd y fro
Yf fwy o de 'rhen W.O. (1953)

Dyma finnau ysywaeth wedi troi'r stori o achlysur ymochel rhag storm i gyfnod arall mwy diweddar. Ond anghofia i byth pa mor ddiolchgar oedd fy nhad a minnau o gael lloches yn nhŷ W.O. y noson fellt-igedig honno.

Yn ddiddorol iawn, bu astudio natur mellt a'u heffaith ar y system drydan yn rhan o'm gwaith ymchwil yn y saithdegau, gan gynllunio rhwydwaith radio sy'n dal i gofnodi pob mellten a dery'r ddaear ym Mhrydain.

Mellten yn taro o'r ddaear i gwmwl – digwyddiad cyffredin iawn.

Hela a saethu

Yn ogystal â physgota, un o'm diddordebau eraill oedd hela cwningod efo ci. Pan aeth Mam i ymweld â'i ffrind, ger Llannerchymedd, dychwelodd efo'r ci defaid bach dela welsoch chi 'rioed. Galwyd o'n Lad, a thyfodd yn heliwr cwningod campus. Doedd gennym ni ddim defaid ar y fferm yn y cyfnod hwnnw a byddai'r ci yn ymddifyrru trwy gorlannu'r ieir yn gelfydd bob dydd.

Ar dywydd poeth ymguddiai cwningod mewn twmpathau ymhell o ddiogelwch y cloddiau, ac roedd Lad yn gwybod hynny. Synhwyrai bresenoldeb cwningen o bell, a dawnsiai o gwmpas twmpath nes iddi ryfygu rhedeg allan hyd y cae tua'i thwll. Byddai Lad ar ei gwarthaf ac weithiau, llwyddiant – dannedd Lad yn dal gafael ynddi nes imi roi iddi beltan farwol tu ôl i'w phen. Fûm i erioed yn hoff o ladd pethau, ond roedd pob cwpwl yn werth hanner coron yn siop Dan Thomas, ffortiwn pan nad oedd chwarter o fferins yn ddim ond wyth geiniog. Ond roedd angen cwponau hefyd, a'r drefn fyddai i un roi'r arian a'r llall y cwponau, a rhannu'r fferins.

Mam a Dad, Nain a minnau efo Lad.

Daliai Mam i gadw ymwelwyr haf, ac ymunai rhai ohonynt yn ein diddordebau ni, a bu llawer o hwyl a direidi. Mr Childs o gyffiniau Llundain, dyn mewn dipyn o oed, neu felly y tybiem bryd hynny pan oedd pawb dros hanner cant yn hen iawn yn ein golwg ni'r plant. Roedd Mr Childs yn awyddus iawn i saethu cwningen, yn or-awyddus efallai. Prynodd focsiad mawr o getris ac i ffwrdd â fo bob gyda'r nos ar ôl cinio efo gwn *12 bore* dau faril fy nhad. Clywsom sawl clec, ond yn waglaw y dychwelai bob tro. Dim un gwningen yn sefyll yn ei hunfan yn ddigon hir iddo anelu ati, mae'n debyg. Bu llawer o dynnu coes, gan gynnwys ei annog i eistedd wrth dyllau'r cwningod a gwneud sŵn fel letusen! Gwyddem ni'r plant am ei lwybr nosweithiol, lle cerddai'n ffyddiog a'i fys ar y triger. Pan gawsom gwningen farw ar y Weirglodd, o achos rhyw glefyd, mae'n siŵr, aethom â hi a'i gosod i eistedd yn edrych yn naturiol ddigon yn erbyn tocyn brwyn. Fel y gobeithiem, gwelodd yr hen frawd hi. Clec. . . a chyrraedd yn ôl i'r tŷ efo gwên fel giât, a gofyn i Mam goginio'r gwningen at ginio'r noson wedyn.

Bu raid imi gyfaddef i'm rhieni, ac aeth fy nhad allan ar y slei yn hwyrach i saethu cwningen iach yn ei lle.

Heddwas yn dyst, a throsedd

Yn ddiweddarach troesom ninnau at saethu cwningod, wedi darganfod fod hynny'n fwy proffidiol na hela efo Lad, ac o hynny 'mlaen roedd hwyaid gwylltion ar y meniw hefyd.

Cawsom lawer o ddifyrrwch yng nghwmni ymwelwyr haf, yn enwedig pan fyddai plant tua'r un oed â ni yn eu mysg. Cofiaf herwgipio Betty Sallis, geneth fain, wichlyd, o Birmingham oedd yn aros acw, nid yn erbyn ei hewyllys chwaith. Mynd â hi ar asgwrn cefn fy meic i weld eroplen wedi crasio yng nghae Rhydolion. Adenydd yr awyren wedi torri llwybr fel pladur fawr trwy gae o ŷd cyn plannu i glawdd. Gweld beltiau-bwledi a boms, a Betty wrth ei bodd. Edrychai fel petai'n disgwyl cusan neu rywbeth ond chafodd hi'r un, oherwydd, yn fy meddwl roedd gen i gariad a siaradai Gymraeg, un yr oeddwn wedi rhoi modrwy gwydr eroplen iddi yn arwydd o ffyddlondeb tragwyddol. Wn i ddim a oeddwn i wedi clywed y ddihareb am *aderyn mewn llaw* bryd hynny. P'run bynnag doeddwn i ddim yn deall hanner ei pharablu.

Roedd llawer o'r Saeson wedi rhyfeddu fod gennym ni iaith hollol wahanol iddyn nhw, a chaent gryn drafferth efo enwau llefydd hyd yn oed. Cofiaf rai'n sôn am *Penny Chain* (Pen Ychain) a *Push Nelly* (Pwllheli). Unwaith roedd rhai ohonynt yn awyddus iawn i wneud argraff dda ar Mam trwy ddangos eu bod wedi dysgu dipyn o'n *lingo* ni. Gan ymhyfrydu mewn helfa dda o fadarch aethant am y tŷ gan ein holi ni'r plant wrth basio beth oedd y gair Cymraeg am *mushrooms.* 'Cachu buwch' medden ni heb droi blewyn, a gofalu eu bod yn ynganu pob llythyren yn glir, gyda phwyslais arbennig ar y ddwy *'ch'*. Rhaid fod y wers Gymraeg wedi llwyddo gan i Nain wgu fel cwmwl terfysg arnom am ddyddiau wedyn, er bod arlliw o wên yn llygaid fy nhad pan soniwyd am ein direidi.

Gyda llaw, penderfynais nad oedd pobl Birmingham yn dwyn targedi eroplen fel y gwnâi pobl Pen Llŷn, achos un pinc a wisgai Betty, fel y profodd cip eiliad a gefais pan fachodd ei sgert wrth iddi sboncio oddi ar fy meic.

Yn y cyfnod hwn y daeth teulu newydd derbyniol iawn i fyw yn Ty'n-Llan, Llangïan – un mab ac amryw o ferched golygus, dipyn o flynyddoedd hŷn na mi, a mab a merch ieuengach na fi. Daeth Griff, yr ieuengaf, i fod yn un o fy ffrindiau pennaf, a chredaf imi fod yn dipyn o arwr iddo am gyfnod. Roeddwn yn hoff iawn o'r ddwy ferch a oedd gartref hefyd, ond wnes i erioed geisio agosáu. Rhywsut, ystyriwn nhw fel dwy chwaer imi; yn rhy gyfarwydd â nhw i edrych arnynt fel darpar gariadon, er imi fod edifar lawer wedi imi gallio.

Nid cwningod yn unig fu Griff a minnau yn eu saethu. Er na chredai neb ni, mae'n wir inni saethu brithyll yn afon Soch unwaith. Wrth groesi'r Bont-newydd, gwelsom y pysgodyn yn gorffwyso yn y gloywddwr a dim ond ei gynffon yn gwingo. Anelu'r .22 a chlec . . . Y bolwyn anffodus yn llonydd ar wyneb y dŵr, a ninnau wedyn yn brysio i Dy'n-Llan i ddangos y brithyll oedd a thwll bach drwy'i ben. Ond choeliai neb inni'i saethu o, gan daeru mai ei saethu ar ôl ei ddal a wnaethom. Ys gwn i ydi Griff, sydd bellach wedi ymddeol o'r Heddlu, yn cofio? Ac ymhellach, ydi o'n cofio ein trosedd o dorri ffenestr Capel Smyrna tybed?

Roedd clwt glas yng ngardd fawr Ty'n-Llan am y mur â'r capel. Byddem yn chwarae criced yno weithiau, ac roedd yn rhaid i'r anffawd ddigwydd ryw dro, mae'n debyg, yn ôl rheol siawns. Griff oedd yn batio a minnau'n taflu'r bêl soled tua'r wicedau â'm holl nerth. Mae'r darlun dychrynllyd o'r eiliadau nesaf yn fyw yn fy nghof o hyd. Gwelaf y bêl a deflais yn taro'r bat, newid cyfeiriad a diflannu trwy un o ffenestri teml sanctaidd Ann Jones, Plasbont. Yn ein golwg ni, Ann Jones oedd cynrychiolydd yr Hollalluog yn Llangïan, a'n harswyd parchedig ohoni gymaint os nad mwy. Hi oedd gofalwraig Smyrna yn ogystal â bod yn athrawes Ysgol Sul er cyn cof. Ac wedi i'r gawod wydrau dawelu, y cwestiwn blaenaf ym meddwl pawb oedd – Pwy a fentrai ddweud wrth Ann Jones?

Gwirfoddolodd tri ohonom yn wylaidd gan rannu'r bai. Yn rhyfeddol, a chroes iawn i'n disgwyliad, ddywedodd hi 'run gair, a daeth ein gwaredydd, Dic Goodman, a oedd yn byw yn y tŷ nesaf i Ann Jones, yn fechnïwr drosom. Ac nid hynny'n unig, trwsiodd y ffenestr a gofalu rhoi'r bêl yn ôl inni hefyd. Ond ni allaf gofio chwarae criced yng ngardd Ty'n-Llan wedyn.

Taith Addysgol

Ychydig cyn imi gael fy mhen-blwydd yn bump oed, daeth dyn byr yn gwisgo sbectol efo gwydrau crynion acw un prynhawn mewn Morris 8 – Mr Owen – *dyn hel plant i'r ysgol*. Wedi dipyn o seboni, gan gyfeirio ataf fel 'hogyn nobl' daeth at ddiben ei ymweliad, sef bod yn rhaid i mi ddechrau mynd i'r ysgol 'pan ddeuai'r Pasg a'r glasgoed'. Roeddwn wedi fy nghyflyru rhywsut neu'i gilydd i ofni deintydd ac ysgol. Deallwn nad oedd wiw imi siarad yn yr ysgol, fod gwneud syms a sbelio Saesneg yn arswydus o anodd, a bod gorfod sgwennu *hundred lines*, a chael cansen ar law a thin yn rhan naturiol o'r gweithgareddau. Doeddwn i ddim yn awyddus o gwbl i fynychu'r fath le, a'r syniad o fynd bum diwrnod yr wythnos am flynyddoedd lawer yn frawychus imi. Ond clywais fod gwaeth yn disgwyl y rhai a wrthodai fynd. Gallai'r dyn clên a ddaeth acw yn y Morris 8 droi'n gas iawn medden nhw a'ch gyrru i'r 'llong fawr'. Wedi pryderu llawer am fynd, siomwyd fi ar yr ochr orau pan gyrhaeddais, oherwydd fod 'Miss Williams Infants' yn ddynes hynod o annwyl.

Anfantais i ni, blant Llangïan, oedd fod yr ysgol gynradd, Ysgol y Foel Gron, Mynytho, mor bell ac i fyny gallt lawer o'r ffordd yno. Fel arfer cerddem adref, er inni gael ein cario i'r ysgol am rai cyfnodau trwy wahanol drefniadau.

Cofiaf ddau beth yn arbennig am fy niwrnod cyntaf yn yr ysgol, wel hanner diwrnod a dweud y gwir, gan mai ar ôl cinio yr aeth fy nhad â fi ar ei feic, gan fy nghysuro ar y ffordd trwy ddweud fod gwyliau hir yn fy nisgwyl yn yr haf, ac nad oedd llawer o wythnosau tan hynny.

Roedd yn heulog yn Llangïan, ond erbyn inni gyrraedd Mynytho roedd yn niwl trwchus, mor drwchus fel na allem weld ein dwylo o'n blaenau bron; symbolaidd efallai o'm gyrfa addysgol o hynny ymlaen.

Yr atgof arall am y prynhawn cyntaf hwnnw yn yr ysgol oedd imi adael llyn ar sêt y ddesg y'm rhoddwyd i eistedd wrthi.

Doedd neb wedi dweud y cawswn fynd allan i bi-pi, dim ond imi godi fy llaw a gofyn. 'Plîs ga i fynd i'r cefn', a ddywedai pawb wedi rhoi llaw i fyny – fy ngwers gyntaf.

Ond â'i hanwyldeb arferol cuddiodd Miss Williams fy meiau rhag y werin ifanc, gan roi trowsus benthyg imi fynd adref, o'r stoc-rhag-ofn a gadwai ar silff top y cwpwrdd.

Roedd y niwl yn parhau pan gawsom ein gollwng allan, a Dilys, Penbont, yn gofalu'n dyner iawn amdanaf fel ar lawer achlysur wedi hynny. Y fferm nesaf i Dyncae yw Pen-y-bont, enw a dalfyrrir ar lafar. Pedair oed oeddwn i pan ddaeth Mr a Mrs Williams a'u dau blentyn, Dic a Dilys, yno i fyw o ardal Trefeglwys ger Llanidloes, mi gredaf. Roedd Dic yn hogyn mawr, mawr, rhy fawr i chwarae. Mynychai Ysgol Ramadeg bwysig Botwnnog, a gwnâi ei waith cartref yn gydwybodol iawn. Fel mae'n digwydd, gwelaf yn llyfr fy nghof y funud hon, ddiagram cyflawn o system ddŵr poeth tŷ, a wnaeth Dic yn dwt iawn i gyflawni tasg ei waith cartref, drigain mlynedd a dwy yn ôl.

Byddwn wrth fy modd yn cael mynd i Benbont, yn hoff iawn o Dilys a oedd bum mlynedd yn hŷn na fi ac yn arian byw o gymeriad. Llawenydd pur imi oedd bod yn ei chwmni bob amser. Âi â fi i weld y cathod bach a oedd mewn gwahanol feudái. Codai bob un a'u hanwylo.

Unwaith dangosodd imi ddarnau o goed o wahanol siapiau yr oedd wedi eu llunio, rhai yn sgwâr, rhai yn grwn a rhai yn driongl, gyda thwll ym mhob un i roi llinyn drwyddo. Wn i ddim hyd heddiw beth oedd pwrpas y prennau, ond am mai Dilys oedd wedi'u gwneud, gwelwn nhw'n bethau hynod iawn. Torrodd fy nhad rai tebyg i minnau. Yna, gan efelychu Dilys, es ati i'w tyllu efo procer poeth. Tra oedd hwnnw yn wynias âi trwy'r prennau fel bys trwy uwd, ond wedi iddo oeri dipyn doedd o ddim mor effeithiol, a minnau yn fyr f'amynedd. Wn i ddim pam na sut y digwyddodd y ddamwain, ond cyffyrddais fy nghlun â'r procer, a adawodd graith a fydd gennyf am byth.

Byddai Dilys a minnau yn crwydro'r caeau hefyd, a gwyddem am lyn efo miloedd o benbyliaid ynddo. Ond un diwrnod pan aethom i'w gweld roedd y llyn wedi sychu a'i breswylwyr bach du mor llonydd â nodau hen nodiant ar daflen emynau. 'O,' meddai Dilys, a'i hwyneb bach crwn yn grych gan drallod, 'Maen nhw wedi trengi.' Gair dieithr hollol i mi bryd hynny oedd 'trengi', ond roedd dagrau fy ffrind newydd o ganolbarth Cymru yn ddigon o eglurhad.

Cofiaf hefyd i Dilys a minnau fynd i ymdrochi mewn lle bas yn Afon Soch ger Tarallt. Bryd hynny roedd hi yn gyfuniad prydferth o fam a chariad imi. Diolchaf i Dilys am hynny, ac am achub fy ngham yn ystod yr ychydig fisoedd yr oeddem ein dau yn ddisgyblion yn Ysgol y Foel Gron, ac i 'Miss Williams Infants', a lwyddodd i'm dysgu i ddarllen Cymraeg cyn y diwrnod trist o orfod symud o'i dosbarth i *Standard 1*, at Miji Jane, Miss Margery Jane Jones, a fu'n dysgu rhieni llawer ohonom, os nad ein teidiau a'n neiniau hefyd.

Roedd y sôn am Miji wedi creu ofn arnaf cyn imi daro llygaid arni erioed. Dynes fawr, ffyrnig yr olwg, gyda dawn go arbennig fel athrawes, mi gredaf, â'i chalon yn aur pur, er y byddai'n ffrwydro fel bom weithiau. Pan wylltiai âi ei hwyneb yn lliw bitrwt, yna wedi i'r storm ostegu, gwynnu'n araf yn glytiau o'i gwddw i fyny. Honnai fod yn Gristion, a chofiaf wers pryd y pwysleisiai fod Iesu Grist yn ein caru ni oll. Pan sylwodd fod meddwl un hogyn bach yn hofran yn rhywle arall ymhell o'r dosbarth gofynnodd iddo'n sydyn – 'Pwy sy'n dy garu di?' Edrychai'r bychan yn hurt arni, a'i dafod yn gorn gan ddychryndod. Gafaelodd Miji fel arthes ynddo a'i ysgwyd gan weiddi yn ei wyneb, 'Iesu Grist, Iesu Grist, sy'n dy garu di.'

Beth bynnag oedd ei ffaeleddau, cymerai ei gwaith o ddifri, a chofiaf fynd i'w chartref gyda'r nos i geisio meistroli *long divisions*. Gwn imi fedru fy nhablau lluosi, gwneud *fractions* ac yn y blaen, darllen ac ysgrifennu fy mamiaith yn dda, a iaith byddigions Abersoch yn weddol cyn cyrraedd *Standard 3*, yn naw oed. Tua'r oedran hwnnw hefyd deuthum yn berchen beic. Nid oedd fawr o help yn y boreau gan fod y gelltydd o Langïan i Fynytho yn rhy serth ar gyfer beiciau trymion yr oes honno, ond deuwn tuag adref fel gwennol, gydag un arall ar y piliwn yn aml. Roedd enw'r beic – *Speed King,* yn addas iawn ar y ffordd yn ôl.

Anfantais arall oedd fod plant hyd at 16 oed yn dal yn nosbarth yr Hen Sgŵl, fel y galwem Mr Ellis yr ysgolfeistr. Pan es i'w ddosbarth yn 10 oed, i baratoi at y *sgolarship*, roedd ar ei flwyddyn olaf cyn ymddeol ac wedi colli pob diddordeb, mi gredaf.

Rhoddai bwys mawr ar *mental arithmetic* a *problems*. Deuai atebion i'r cwestiynau rhifyddeg feddyliol fel bwledi o wn peiriant gan ddyrnaid o'r genethod hynaf, a glodforid i'r uchelion am eu disgleirdeb gan Mr Ellis. Felly hefyd efo'r problemau, a minnau, a'r mwyafrif o'r lleill, yn suddo'n ddyfnach i gors anobaith yn ddyddiol.

Ar ôl sbel, deuthum i gredu syniad poblogaidd y dydd, fod rhai plant yn naturiol glyfar a'r gweddill, fel fi, yn naturiol dwp. A'r unig brawf i benderfynu i ba garfan y perthynem oedd problemau, syms meddyliol a sillafu Saesneg. Doedd neb yn cynnig goleuni technegau sylfaenol i'n galluogi i weld yn y tywyllwch, nac yn gwerthfawrogi doniau llachar gwahanol i'r *three Rs,* term nas deallais erioed, gan mai *reading* yw'r unig air o'r tri phwysig sy'n dechrau efo 'R'. Ond efallai na wyddai pwy bynnag a fathodd y term yn amgenach.

Wedi i'r Hen Sgŵl ddidoli'r defaid a'r geifr, rhoddai wersi arbennig i'r rhai mewn un gorlan. Nid i'r twpiaid er mwyn eu gwella ond i'r etholedig rai, y sêr, i sicrhau eu bod yn disgleirio'n fwy llachar fyth pan ddeuai dydd y farn ym Motwnnog. I'r gweddill ohonom dosbarthodd yr un llyfrau bob prynhawn am fisoedd lawer.

Gan mor gyfarwydd yr oeddwn â'r llyfrau hynny, gallaf edrych ar eu tudalennau y funud hon ar sgrîn fy nghof, darllen pob un ac astudio'r lluniau. I leddfu tipyn ar ein syrffed roeddem wedi dyfeisio ffyrdd o'n difyrru ein hunain. Un gêm dda a chwaraeai fy nghefnder a minnau oedd darllen geiriau tu ôl ymlaen, brawddegau cyfain yn wir, a swniai fel iaith newydd sbon! Cynhwysai ein hiaith newydd enwau pobl, a lleoedd, a ychwanegai at y doniolwch. Er enghraifft, yn Othynym yr oedd ein hysgol, a Nibor a Cid a eisteddai o'n blaenau.

Ysgol y Foel Gron, Mynytho.

Arf brawychus i gadw trefn arnom yn yr ysgol oedd y gansen draddodiadol a gadwai'r Hen Sgŵl y tu ôl i gwpwrdd gwydr, lle roedd offer morwriaeth a darn o ffosfferws mewn pot o baraffîn. Erbyn hyn, gwelaf symboliaeth y cwpwrdd cloëdig lle roedd offer i ganfod ffordd a rhoi goleuni mewn tywyllwch.

Roedd hanesion dychrynllyd am brofiadau rhai a gafodd slaes efo'r gansen, ar law ac ar din. Unwaith y cefais i ei blas, a hynny ar gam, a'm brifodd yn emosiynol yn fwy nag yn gorfforol. Yn wir, gorfodwyd holl fechgyn y dosbarth i sefyll mewn rhes am drawiad, am na chyfaddefai neb i'r drosedd ddifrifol o wthio eithinen trwy un o'r drysau bychain (gwagio'r bwcedi), a oedd yng nghefn toiledau'r genethod, a phigo pen ôl myfyrferch oedd yn yr ysgol ar gwrs o ymarfer dysgu.

Dro arall hefyd cefais fai ar gam, o fod wedi sblasio mwd hyd goesau un o'r genethod, ond bu'r gosb yn un hynod o bleserus imi – mynd efo'r eneth i'r *cloakroom* i olchi'r mwd oddi ar ei choesau siapus.

Roedd y *cloakroom* yn safle gêm debyg i *Russian Roulette* a chwaraem ambell dro, gan fod yno ar y mur beipen ddŵr efo *stop tap* arni tuag uchder pen. Y gêm ryfygus a ddyfeisiodd rhyw foi athrylithgar oedd datsgriwio'r tap yn raddol; rheng hir o fechgyn a phawb yn ei dro yn rhoi tro bychan gan agor y tap fwy a mwy, nes . . . ie, nes y deuai'r tap i ffwrdd yn llaw rhyw greadur anffodus a gariai'r cyfrifoldeb unigol a'r gosb. Pan ddeuai'r tap i ffwrdd roedd y pwysedd dŵr gymaint nes ei fod yn cyrraedd ar draws yr ystafell gan socian llawer o'r cotiau a hongiai yno. Ac yr oedd mor bwerus fel nad oedd gobaith sgriwio'r tap yn ôl heb help plymwr o Bwllheli. Y bechgyn a fyddai yn chwarae'r gêm ddyfrllyd, gyda rhai o'r gormeswyr yn ein gorfodi ni'r rhai llai anturus i gymryd rhan yn eu ffwlbri, tra oedd y genod bach yn chwarae *hopscotch* a'r genod mwy, rai ohonynt fe glywais, yn chwarae gemau mwy rhyfygus fyth efo hogiau yn y rhedyn ar ochr y Foel.

Addysg Grefyddol

Er fy amheuaeth, roedd y Capel yn ganolfan gymdeithasol bwysig inni oll, yn ifanc a hŷn, yr amser hwnnw. Mwynhawn rai o'r gweithgareddau yn fawr, a chredaf i ddisgyblaeth y Capel a'r hyn a ddysgais yno fod o fudd sylweddol imi.

Yn ogystal â gwasanaethau ac Ysgol Sul, byddai Seiat ar nos Iau, a Chyfarfod y Plant ar nos Fawrth hefyd dros gyfnodau. Roedd y Parch.

R. P. Owen, y gweinidog, yn ddyn hynod o weithgar a deallus, gyda gwybodaeth eang, ac yn llawn brwdfrydedd heintus. Dysgai i mi adrodd barddoniaeth, a phroffwydodd y buaswn yn fardd fy hunan pan dyfwn i'n ddyn. Bu hyn wedi i Nain ddangos cerdd a sgwennais iddo, gyda gwên foddhaus ar ei hwyneb fel arfer, pan froliai ei hŵyr bach defosiynol a oedd yn gannwyll ei llygaid; a minnau'n casáu achlysuron o'r fath.

Doedd ryfedd fod y gweinidog yn hoffi fy ngherddi gan fod rhyw stamp capelaidd arnynt bron i gyd, am fy mod wedi cael fy nhrwytho mewn dysgeidiaeth eglwysig. Chwarae teg i Nain, mi gadwodd bopeth a ysgrifennais o'r cychwyn. Gweler isod gerdd arall a sgwennais pan oeddwn yn naw oed.

Roeddwn yn bur ddiolchgar i Dewi Sant am ein bod yn cael hanner diwrnod o wyliau o'r ysgol ar ei ddydd arbennig, wedi'r cyngerdd yn y bore pryd y deuai boneddiges Plas Nanhoron, Mrs Gough, i wrando arnom. Pan ddôi'r hen wraig i mewn roeddem i ddweud gyda'n gilydd oll – '*Good morning, Mrs Gough.*' Rhybuddid ni hefyd rhag rhythu arni'n ormodol, na beiddio chwerthin am fod arni ryw nam nerfol a achosai i'w cheg agor a chau yn rhythmig fel un pysgodyn.

Dyma'r gerdd:

DEWI SANT

Daw dydd Dewi Sant,
Dydd wrth fodd y plant.
Bydd plant yr ysgol yno i gyd
Yn adrodd hanes Dewi 'nghyd.

Roedd Dewi Sant yn ffrind i Dduw;
Dysgai'r bobl sut i fyw.
Roedd Dewi Sant yn Gymro glân.
Pregethai 'mysg y mawr a'r mân.

Roedd Dewi Sant yn ddyn da, duwiol.
Pregethai'n wych am bethau dwyfol.
Nac anghofiwn Dewi Sant,
Am ei gariad at y plant. (1942)

Roedd noson Cyfarfod y Plant yn bwysig, gan y caem gyfle i chwarae tic rownd y Capel, a chusanu'r genod weithiau, a oedd fel y dywedodd

Cynan am Meinir gynt yn Nantgwrtheyrn, yn dianc 'ond yn hannner awyddus i'w dal'. Dim ond un eneth oedd yn wir bwysig i mi, honno a welais gyntaf pan es â buwch at y tarw i'w chartref efo 'Nhad, cyn imi ddechrau mynd i'r ysgol. Roedd barrau giât yr ardd rhyngom, ac roedd arwyddion amlwg o gwmpas ei cheg ei bod newydd gael tost i frecwast.

Ymhen rhai blynyddoedd cawn gryn bleser wrth saernïo modrwyau iddi, fel y crybwyllais, allan o wydr eroplen (*perspex*) y byddem yn ei loffa hyd y caeau ar ôl damweiniau awyrennau o Borthneigwl a Phenyberth. Sgwennais ddwy neu dair o gerddi iddi hefyd, ond heb ddigon o ddewrder i'w cyflwyno na'u cyhoeddi. Yn ddiweddarach mentrais roi un o'r modrwyau gwydr eroplen a luniais am ei bys yn y tŷ gwair, ac addefaf i'n hanwyldeb cynnes, diniwed, ddatblygu'n naturiol heb ronyn o swildod na chywilydd dros gyfnod. Hyd nes i'n rhieni gael sgwrs efallai, wedi iddynt amau fod ein hoffter o'n gilydd yn cryfhau'n ormodol. Yn anffodus, bu i'w mam fod yn dyst o'n hagosrwydd, pan ddaeth i'r parlwr yn ddi-rybudd unwaith, a minnau'n helpu fy anwylyd fach i ddygymod â'i hymarferion canu piano gorfodol ar y pryd.

Ar ôl hynny, yn ddealladwy iawn, gosodwyd barrau anweledig, cryfach na rhai giât yr ardd, rhyngom:

TRASERCH

Yn nydd fy niniweidrwydd
ni wyddwn
fod briw mewn blodyn
na gwiber yn y gwair;
ni welswn ddeigryn
ond ar wedd y wawr.
Yn Eden ei llun a'm denodd,
ei gwên a'm swynodd.
O wynfyd!

O adfyd!
Torrwyd ein cadwyn lygaid 'dydd
a gwywodd dant y llew
gan yrru'n haddunedau gyda'r gwynt. (1971)

Roeddwn yn ymwybodol o'r neilltuo arfaethedig. Trodd fy ysgafnder ysbryd cynhenid yn iselder dwys dros dro, a hynny adeg y 'sgolarship', arholiad yr 11+. Es i Ysgol Ramadeg Botwnnog ar fy meic, â'm nerfau cyn dynned â'r sbôcs. Erys rhai o gwestiynau'r papurau prawf yn fy nghof, bron air am air, a'r atebion gor-gywir a roddais i rai cwestiynau, na ddisgwyliai'r marcwyr, mae'n rhaid, achos pan ddaeth y canlyniadau, a'r Neh Lŵgs, mae'n ddrwg gen i, yr Hen Sgŵl, yn agor yr amlen yn ddefodol a darllen yr enwau, nid oedd f'un i yn eu mysg wedi'i sillafu ymlaen nac yn ôl, nac un Namron fy nghefnder chwaith ar restr y rhai cadwedig, er ein bod ni wedi dyfeisio'r iaith Gearmyg!

Yn rhyfeddol, yr un mis ag y methais y sgolarship, cefais anrhydedd annisgwyl – y wobr gyntaf yn Arholiad Sirol Capeli Llŷn ac Eifionydd, efo marciau llawn. Cofiaf R.P. (fel y gelwid y gweinidog yn ei gefn) yn dod i'r tŷ ac yn fy llongyfarch gan wasgu fy llaw. Roeddwn yn digwydd bod yn gwisgo llodrau llaes am y tro cyntaf y noson honno, a thybiem mai hynny oedd achos ei longyfarchiad twymgalon imi.

Pan glywodd imi fethu'r sgolarship roedd yn orffwyll, am wendid ac annhegwch system addysg y cyfnod, a amlygais i trwy anghysondeb amlwg o lwyddiant a methiant yn gymysg.

Ym mis Medi, wedi imi fynychu yr Ysgol Ganol (Ysgol Fron Deg) ym Mhwllheli am bythefnos neu ychydig yn hwy, daeth R.P. i'm gweld i ddweud ei fod wedi sicrhau lle imi ym Motwnnog wedi'r cyfan, wedi trafod fy achos efo'r Awdurdodau Addysg. Ond erbyn hynny roeddwn wedi ymsefydlu yn y *Central,* ac yn anfodlon gadael fy ffrindiau newydd, a'r athrawon yr oeddwn yn hoff iawn o'u hagwedd rydd a chyfeillgar.

Er gwell neu er gwaeth, gwrthodais y cyfle a hwyliais drwy bedair blynedd y *Central* yn foddhaus, ddiofal, heb ymboeni am waith cartref nac unrhyw arholiad. A digon o ryddid gyda'r nosau i bysgota, saethu ac ymddiddori mewn peirianyddiaeth, trydan yn arbennig, ac ymhel â gwyddoniaeth yn gyffredinol. Er mai dirywio'n academaidd fu fy rhan yn Ysgol Fron Deg, gadawodd ei hathrawon hynaws gryn argraff arnaf. Roedd Mr Alun Williams y Prifathro (Bòs Bach i bawb yn yr ysgol) fel crochan crychias bob amser a'i ager drwy'r ysgol.

Miss Nansi Mai Williams (Mrs Evans wedyn) a fu'n ceisio'i gorau glas i'n cael i ganu mewn tiwn, a ninnau'r bechgyn yn y tu ôl yn gwneud parodïau anweddus ar eiriau'r caneuon. Llwyddodd i'm cael i werthfawrogi cerddoriaeth glasurol trwy chwarae recordiau ar gyfarpar digon crafog. Dichon mai hi a drefnodd inni fynd i Neuadd y Dref i wrando ar y *Bangor Trio* hefyd, er na wnaeth hynny ddim lles i mi. Gallwn gredu'n hawdd mai o berfedd cathod y gwneid llinynnau

Ysgol Fron Deg, Pwllheli.

eu hofferynnau. Roeddwn wedi syrffedu ar eu mewian a bron â byrstio o eisiau 'mynd i'r cefn' erbyn y diwedd.

Byddem ni'r bechgyn wrth ein boddau yn nosbarth Miss Jane Eurwen Jones, oedd yn ferch ifanc ddeniadol iawn, a'r straeon a ddarllenai inni tra'n eistedd ar ben y ddesg o'n blaenau yn gyffrous iawn hefyd. Er mai bychan oedd Mr Harri Jones, anodd yw i mi anghofio'r traethu â'r llais treiddgar. Hyfforddodd Capten Jones griw o forwyr gan gynnal hen draddodiad Llŷn er cyn Fflat Huw Puw. Fy ffrind agos Harri Jones o Gilan oedd un ohonyn nhw, a ddiflannodd oddi ar fwrdd llong mewn porthladd yng ngorllewin Affrica, a'i fam weddw yn dal i lanhau ei feic o am flynyddoedd mewn gobaith y dôi adref. Cofiaf ein hathro hynaws, Mr Emlyn Jones o Borth-y-Gest, hefyd. Dyn tal, main, ac ychydig o flew yn tyfu ar flaen ei drwyn. Cymeriad distaw hoffus gyda llais tenor cryf, melodaidd. Am gyfnod cynhelid clwb ar ôl oriau gwersi yn yr ysgol ar un noson yr wythnos, pryd y ceid gwahanol weithgareddau i'n difyrru. Ar noson o'r fath torrodd y cyflenwad trydan a ninnau mewn tywyllwch dudew am tuag awr. Llywyddid y noson gan Emlyn Jones a Nansi Mai. Gwnaed cais gennym am i Emlyn ganu *Arise o Sun*, oedd yn addas iawn dan yr amgylchiadau. A chawsom ein gwefreiddio yn y tywyllwch gan lais hyfryd Mr Jones i gyfeiliant perffaith Miss Williams. Athrawes arall hynod oedd Miss Murray, a'i gwallt cyn wynned â'r eira, ymhell cyn ei chanol oed. Dynes ddistaw, annwyl iawn a ddysgai fywydeg inni, nes imi ddeall yn berffaith sut yr oedd llyffantod yn atgenhedlu. Yn y cwpwrdd gwydr yn ei hystafell roedd erthyl baban mewn fformalin, ond chawsom ni ddim gwersi am hwnnw.

Athro o'r enw Mr Price Jones, na wn i ddim arall amdano, a lwyddodd i danio fy mrwdfrydedd i tuag at wyddoniaeth. Yn lle rhoi gwersi ffurfiol i ni, fechgyn, yn ein blwyddyn olaf, cawsom gyfle i wneud dyfeisiadau ein hunain, a alwem yn 'gajets'. Rhoddodd y gweithgaredd hwnnw foddhad mawr inni ac edrychem ymlaen yn frwd at bob gwers wyddoniaeth. Cyn hynny roeddwn wedi cael llyfrau ar seryddiaeth a thechnoleg drydan a'u darllen drosodd a throsodd. Hefyd, roeddwn wedi bod yng nghwmni fy nghefnder ieuengaf, peniog, sef Ieuan, a gafodd amryw o fanteision, fel mynd trwy ysgol Mynytho dan oruchwyliaeth newydd, ar ôl i Mr Ellis ymddeol. Roedd ei dad Owen Jones a'i fam, Anti Nel, yn hynod o ddiwylliedig, ac yn ei sbarduno i ddysgu, mae'n siŵr. Byddwn wrth fy modd yn mynd i'r Braich (Braich-yr-atal ar gwr Mynytho) am swper a sgwrs, a chael cyfle i weld llyfrau Ieuan, yn arbennig ei *Encyclopaedia Britannica*. Weithiau dôi Dan Bragdy heibio. 'Gwyddon heb lamp gwyddoniaeth', fel finnau ar y pryd, heb amheuaeth, dawn naturiol gref heb ei disgyblu, fel llawer enghraifft arall sy'n amlygu gwendidau'r system addysg dros y blynyddoedd. Aeth Ieuan i Goleg y Brifysgol ym Mangor flwyddyn o fy mlaen i, a gwerthfawrogais gael benthyg ei nodiadau ffiseg yn fawr.

Yn y cyfnod hwnnw hefyd y byddem ni'r bechgyn yn ymryson pwy oedd efo'r golau disgleiriaf ar ei feic. Golau a gynhyrchid gan ddeinamo yn cael ei droi gan olwyn y beic oedd hwn. Nid yn unig yr oedd nifer o wahanol fathau o ddeinamos ar gael, ond byddai'r rhai mwyaf dyfeisgar ohonom yn newid eu cyfansoddiadau, ac yn defnyddio bylbiau gwahanol ac ati i wella'r goleuadau at bwrpas y gystadleuaeth.

Cyw newydd i'r nyth

Unig blentyn oeddwn i nes imi droi'n dair ar ddeg oed, pryd y ganwyd Rowena fy chwaer. Cofiaf fy nain yn torri'r newydd imi fod fy mam 'yn disgwyl', a chefais yr argraff nad oedd Nain yn hapus iawn efo'r

Fy chwaer ym mreichiau Nain Tyncae, 1947

fath ragolygon. Fe'm sicrhaodd mai fi oedd, ac a barhâi yn ffefryn iddi hi, gan honni iddi fagu un plentyn iddyn nhw (Nhad a Mam) a'i bod yn rhy hen i ddechrau magu un arall. Ond pan ddaeth Mam adref o'r ysbyty gyda'r bwndel bach del efo cnwd o wallt du a llygaid brown syrthiodd pawb, gan gynnwys Nain, mewn cariad â hi. A daeth llu o anrhegion o bob cyfeiriad yn ystod yr wythnosau cyntaf gan berthnasau a chyfeillion.

Roeddwn innau wrth fy modd am imi gael chwaer fach, er imi orfod dioddef fy herian dipyn ar y bws ysgol pan dorrodd y newydd. Bu'r baban yn fendith fawr i'r teulu, gan lenwi'r bwlch pan adewais yr aelwyd i weithio ym Mangor, lai na thair blynedd yn ddiweddarach. Profais yno 'Hiraeth mawr a hiraeth creulon . . . 'yr hen bennill, er imi ddychwelyd adref dros y Sul yn gyson. Pedair punt yr wythnos oedd fy nghyflog y flwyddyn gyntaf. Wedi talu am aros, bwyd a thrafaelio doedd dim llawer ar ôl, ond llwyddwn i brynu tegan i fy chwaer fach bron bob wythnos.

Tro i Lundain

Pedair ar ddeg oed oeddwn i pan es ymhellach oddi cartref na Chaer – i Lundain efo Nain Tyncae. Roedd gennym berthnasau yn byw yno. Anti Llundain, chwaer i fam Nain, a'i mab Griff, a oedd â'u cartref yn 28 Dresden Road, Highgate. Sôn am anturiaeth i ddau di-glem, ond roedd Mam wedi trefnu popeth yn fanwl. Un ardderchog oedd Mam am drefnu pethau, boed yn daith neu eisteddfod. Profodd hynny fel ysgrifenyddes Eisteddfod Capeli Cylch Abersoch am flynyddoedd lawer.

Roedd trefniadau i Griff ein cyfarfod yn Euston tua chwech gyda'r nos. Yn ffodus, dim ond yn Afon Wen yr oedd yn rhaid newid trên. Arswydus i bawb yn ein tŷ ni bryd hynny oedd meddwl am orfod newid trên yn Crewe, a dw'i hyd heddiw yn casáu'r lle a bod yn onest. Efallai fod hynny am imi orfod disgwyl oriau oerion, hwyrol a phlygeiniol yno ar seti caled pan oeddwn yn filwr anfodlon. Ond hanes arall ydi hwnnw.

Doeddwn i erioed wedi bod mewn trên a oedd yn mynd mor gyflym; nid fel trên i Ben-y-groes yn aros bob pum munud a chrafangu o orsaf i orsaf. Ew, mi oedd polion teliffon gyda'r rêl-wê yn edrych fel dannedd crib wrth inni basio, a'r injan yn codi dŵr o gafn ar ganol y trac heb arafu, gan olchi'r ffenestri 'run pryd.

Ar ôl Crewe, dim ond dau neu dri arhosiad; mynd trwy'r gorsafoedd eraill mor gyflym fel na allwn ddarllen eu henwau. Rhyfeddodau – trên efo rhwyd ar ei phen i ddal llythyrau a pharseli wrth iddi wibio heibio, dwsinau o reiliau cyfochrog ac arwyddion amryliw. Sut, meddyliwn, nad oedd y gyrwyr yn drysu weithiau.

Bu bod yn yrrwr trên yn uchelgais gennyf am rai wythnosau. Arafu . . . gweld y rhesi tai a'r gweithydd efo enwau cyfarwydd – *Heinz 57, Ovaltine, Jacob Biscuits* ac yn y blaen. Arafu mwy, ac wedyn ystelcian ysbeidiol . . . inni gael gweld gerddi cefn a dillad pobl Llundain ar leiniau. Symud malwennaidd am sbel. Gwich. Aros. Euston. Y drysau oll yn agor a phawb yn rhuthro allan. Yn ffodus, roedd Griff yno'n ein disgwyl. Gobeithiem yn arw y byddai, gan i Nain ddarganfod ar y ffordd, tua Rugby, ein bod wedi dod heb gyfeiriad y tŷ.

Y profiad newydd nesaf i Nain a minnau oedd y trenau tanddaearol. Tocynnau, ac i lawr â ni ar risiau symudol i ddyfnderoedd y Northern Line, ac o fewn hanner awr cyrraedd gorsaf Archway, a cherdded i fyny heibio Ysbyty Whittington a throi i'r dde, ac yna o fewn ychydig o funudau cyrraedd, a chael croeso cynnes gan Anti Llundain. Roeddwn yn ei hadnabod o amser y Rhyfel pan ddaeth i aros yn Llwyngwanadl rhag y bomiau. Ei brawd a'i feibion yn byw yno bryd hynny, a Nain a finnau yn galw i'w gweld pan fyddem yn aros yn Llanllyfni.

Alla i byth anghofio Dewyrth Llwyngwanad, fel y galwai Nain o (brawd i Anti Llundain ac i fy hen nain), yn dioddef efo cancr yng nghrau (soced) ei lygad chwith. Wedi cael codi amryw o ddefaid gwylltion oddi ar ei gorff gan un o'r meddygon o Bencaerau, yr ysgrifennodd y Parch. Harri Parri lyfr mor ddiddorol amdanynt, daeth un ar ei lygaid na ellid cael gwared â hi. Daliodd i lafurio ar y fferm yn ddewr am flynyddoedd efo rhwymyn dros y briw.

Yn Llwyngwanadl yr oeddwn hefyd wedi cyfarfod Griff a'i ddwy chwaer, Gwenora a Cheridwen. Roedd yn y teulu gwreiddiol dri mab arall, ond yr ieuengaf, Ifor, wedi'i ladd mewn damwain pan aeth allan y tro cyntaf ar feic a gafodd yn anrheg ar ei ben-blwydd yn un ar hugain. Roeddynt oll yn rhugl eu Cymraeg ac yn aelodau ffyddlon yng Nghapel Holloway.

Bu Dewyrth Llundain (gŵr Anti) a oedd yn gefnder i David Lloyd George, yn berchen busnes adeiladu llewyrchus hyd ei farwolaeth tua 1925. Erbyn ein hymweliad ni â Dresden Road ym 1947, doedd ond Anti a Griff (hen lanc) yn byw yno. Fo'n gweithio i'r Llywodraeth, Adran y Llu Awyr yn Whitehall, yn ystod y dydd ac yn astudio gwerth ei *shares* yn y *Financial Times* bob nos ar ôl cyrraedd adref. Ond chwarae teg iddo, roedd wedi trefnu i fynd â Nain a finnau i amryw leoedd nodedig y ddinas, gan gynnwys y Science Museum a'r Planetarium, dau le a adawodd gryn argraff arnaf.

Roedd Griff yn gerddwr eiddgar, am ei fod yn credu fod hynny'n ymarfer iachusol neu ei fod yn rhy grintachlyd i dalu am ei gario, ni allaf benderfynu eto. Yn sicr roedd ganddo obsesiwn am gadw'n iach, gan yr âi i nofio mewn llyn ar gwr Hampstead Heath bob bore Sul, haf a gaeaf. Ond hefyd, roedd Anti ac yntau yn 'ofalus iawn' o'u harian, ddywedwn i. Onid felly y gwelir pobl gyfoethog yn aml, heb ystyried nad oes pocedi mewn amdo na banciau yr 'ochr draw'? P'run bynnag, os am adnabod Llundain, neu unrhyw fan arall o ran hynny, does dim gwell na'r 'bws dau'. Yn ystod yr wythnos honno mae'n wir inni gerdded degau o filltiroedd, llawer gyda'r nos, a pheth yng ngolau lleuad Awst hyd yn oed.

Ar ôl diwrnod neu ddau roedd Nain a minnau'n deall rhwydwe trafnidiaeth Llundain yn ddigon da i fynd i lefydd diddorol ein hunain yn ystod y dydd, ar ôl cael cyfarwyddyd gan Griff ac Anti – pa orsafoedd Tiwb, a pha rif bysiau i'w cymryd, a sut i ddod yn ôl i Archway, ar y Northern Line, trwy ofalu mynd ar drên High Barnet, nid un Edgware.

Yn wir, roeddym mor hyderus erbyn diwedd yr wythnos nes i Nain a minnau fentro gwahanu, a threfnu i gyfarfod yn hwyrach yr ochr allan i orsaf Archway. Roeddym ein dau y tu allan i'r orsaf erbyn yr amser penodedig, ond heb ddeall fod dau fynediad iddi. A bu Nain a minnau'n pryderu am ein gilydd am gryn ugain munud cyn darganfod hynny, a llai nag ugain llath rhyngom.

Am tua blwyddyn cyn y trip i Lundain roeddwn wedi bod yn hel arian mewn pot jam, gyda'r bwriad o brynu gwn aer. Doedd gen i ddim digon i gael yr un yr oeddwn i'n ei ffansïo yn siop Selfridges, Tottenham Court Road, os cofiaf yn iawn. Ond, am ein bod yn Llundain am y tro cyntaf, a'm llygaid yn disgleirio cymaint wrth weld y gynnau, toddodd calon Nain a gwnaeth gyfraniad sylweddol o £7 tuag at y pris o £15.

Cefais bleser aruthrol efo'r gwn aer, a thrwy hir ymarfer deuthum yn anelwr eithaf sicr. Cofiaf fy nghyffro o gario'r gwningen gyntaf a saethais adref o Lan-Soch. Roedd cwningod yn bla yn Llŷn bryd hynny, a phob ffermwr yn erfyn arnaf i gerdded ei dir efo'r gwn. Yn fuan iawn, teimlwn fod y reiffl aer yn rhy egwan o lawer, a defnyddiwn wn haels mawr fy nhad, a giciai fel mul; yr un yr oedd o wedi'i brynu mewn ocsiwn, a thad fy ffrind ysgol, Douglas Jones o Bwllheli, wedi cerfio stoc iddo, fel y soniaf yn nes ymlaen. Yna prynais reiffl .22 a luchiai fwled hyd at filltir, a chan gofio hynny gofalwn fod tir tu cefn i'r targed bob amser. Ambell dro digwyddai bwled adlamu gan hymian fel gwenynen wyllt. Rhag i'm stori innau fynd ar gyfeiliorn, yn ôl â ni at fy mherthnasau gynt yn y brifddinas.

Ymhen ychydig o flynyddoedd wedyn, pan oeddwn yn y Fyddin, bûm yn gwersylla yn Farnborough ac yn Kent, a byddwn yn treulio ambell noson efo Anti a Griff yn Llundain. Ym 1959 bûm yng nghynhebrwng yr hen wraig, ac yn fuan wedyn chwalwyd y cartref, a chyfeillgarwch ei disgynyddion agosaf hefyd o achos ffrae ynghylch ei hewyllys.

Wn i ddim o'r manylion ond cofiaf alw i weld Griff ychydig cyn ei farwolaeth yn ei saithdegau cynnar, mewn cartref hen bobl digon llwm yr olwg. Dyna pryd yr agorodd ei enaid gan ddweud wrthyf mai cystal â fuasai iddo fod wedi bod yn chwarae *Monopoly* na thrin ei *stocks and shares* dros y blynyddoedd. Soniodd hefyd wrtha i am ochr fwy personol ei fywyd – am yr unig ferch y syrthiodd mewn cariad â hi, a hynny mewn cynhebrwng perthynas ym Mhentir ger Caernarfon. Treuliodd rai dyddiau nefolaidd yn ei chwmni, cyn dychwelyd adref i Lundain. Addawodd y ferch sgwennu gan ymddangos yn awyddus iawn i'w cyfeillgarwch barhau a datblygu. Yn anffodus, roedd y ferch wedi cael ysgariad, a phan ddeallodd mam Griff hynny mynegodd yn chwyrn ei gwrthwynebiad i'w cyfeillgarwch.

Pan na chyrhaeddodd llythyr o Gaernarfon, daeth Griff i'r casgliad mai 'tân siafins' oedd brwdfrydedd y ferch, a chwalwyd ei obeithion. Ond yr oedd hi wedi anfon amryw o lythyrau i 28 Dresden Road, Llundain, na welodd Griff mohonynt, nes iddo'u darganfod mewn drôr ar ôl marwolaeth yr hen wraig ei fam. Roedd hynny dros ddeng mlynedd ar hugain yn ddiweddarach na dyddiadau'r stampiau post ar yr amlenni. 'Mami' Griff wedi cuddio'r llythyrau oll heb eu hagor, a'r ferch wedi'i siomi na ddaeth ateb, cyn anobeithio'n llwyr a distewi.

Ennill a cholli

Yn y cyfnod cyn mynd o'r ysgol i Fangor (14/15 oed) gwnes set radio risial, injan stêm, melin wynt a gynhyrchai drydan i'm cartref, teliffon rhwng tŷ ni a Tharallt, a dyfeisio math newydd o fatri i gadw ynni trydan.

Yr unig bwnc arall y rhagorwn dipyn ynddo oedd Cymraeg, gan gael marciau uchel ym mhob arholiad, a hynny heb wneud fawr o ymdrech. Roedd hyn am mai Cymraeg oedd iaith yr aelwyd a'r capel wrth gwrs, y gystrawen a'r treigladau yn llifo'n naturiol a diymdrech. Ac er bod Cymreigio geiriau Saesneg yn arferiad drwg hyd yn oed bryd hynny yn Llŷn, fel llawer man arall, gwyddem beth oedd yn gywir. Hyd yn oed heddiw, pan fyddaf mewn penbleth yn chwilio am air addas i ddatgan rhywbeth, dychmygaf pa air a fuasai fy rhieni wedi'i ddefnyddio yn yr un sefyllfa, a byddaf yn rhyfeddu at ehangder eu geirfa, a hwythau heb gael fawr o addysg ffurfiol.

Dweud hynna rŵan yn fy atgoffa am sgwrs a gefais efo Huw Williams, Caerwyn, Llangïan, pan oeddwn tua deg oed. Dal tyrchod daear oedd arbenigrwydd Huw Wilias; mynd o fferm i fferm, llwyth o drapiau ar ei gefn a sach i gario'r helfa felfedaidd adref. Blingai'r tyrchod yn ofalus, a hoelio'u crwyn ar fyrddau i sychu yn yr haul a'r gwynt, cyn eu gyrru i rywle i wneud cotiau ffwr i ferched crand, a chadachau i ffurfio plwm toddedig wrth uno peipiau dŵr a cheblau trydan.

Taflai Huw Wilias gyrff di-groen y twnelwyr bychain, anffodus, i'r ffrwd a red drwy ganol pentref Llangïan o hyd. Un gyda'r nos daethom ni'r plant ar draws crëyr glas mawr heglog wrth y ffrwd, lle nad oedd digon o redfa iddo godi dros y drain yr ochr arall. Daliasom o, a'i gario'n gynhyrfus yn ein breichiau i'w ddangos i Mem fel y galwem Meri Jones y Siop. Ni oedd wedi cynhyrfu, nid yr aderyn hir ei wddf, a edrychai'n ddigon bodlon. Ond wedi inni fynd i mewn i'r siop, lle roedd dwy neu dair o ferched y pentref yn mân siarad, daeth rhyw igian rhyfedd ar y crëyr caeth, a'r eiliad nesaf chwydodd gynnwys ei stumog, sef cryn ddwsin o gyrff tyrchod, ar lawr. Bu'n rhaid inni lanhau'r llanast cyn mynd â'r crëyr i'w ryddhau ger afon Soch. Gwelaf o'r funud hon yn codi'n urddasol i'r uchelion heb falio dim am ei anturiaeth yn siop Meri Jones, ac roedd hithau wedi maddau inni cyn pen wythnos, a'r achlysur yn dal yn destun chwerthin tra bu byw.

Braw ar brifffordd

Mae'n sicr fod Mem yn meddwl yn dda ohonof rai blynyddoedd yn ddiweddarach beth bynnag, gan iddi ofyn imi fynd efo hi yn y *Ford Popular* newydd sbon a brynodd. Fi yn yrrwr trwyddedig ifanc iawn yn eistedd wrth ochr Miss Jones pan oedd hi'n dysgu meistrioli cerbyd am y tro cyntaf, sbel dros ei hanner cant oed. Cawsom lawer o anturiaethau a'm dychrynodd ar y pryd, ond a ymddengys yn ddigrif bellach. Nid fi oedd ei chyfarwyddwr gyrru swyddogol, ac felly doedd gen i ddim hawl, neu fy mod yn rhy swil, i ddwrdio dynes ddeng mlynedd yn hŷn na fy mam. Ni allwn honni fod Mem yn ofnus ar y ffordd, i'r gwrthwyneb yn wir. Ymddangosai'n ffyddiog y byddai pob cerbyd arall yn symud o'i ffordd. A llwyddodd ei hagwedd herfeiddiol, gan y credaf na chafodd erioed ddamwain o bwys.

P'run bynnag, digon fydd hanes un trip i Bwllheli, mi obeithiaf, i ennill eich cydymdeimlad. Bore Sul ydoedd, a Mem â'i hagwedd garedig arferol wedi cynnig mynd â Ffranc Ty'n-Llan at y bws i'r dref. Gofynnwyd i mi fynd gyda hi; fy nhrip cyntaf efo Miss Jones. Hyderwn ei bod yn eithaf hyddysg erbyn hyn, wedi cael amryw o wersi efo Tomos Ffrainc, arch-gyfarwyddwr gyrru car yn y fro yr amser hwnnw.

Roedd Mem mor awyddus i gychwyn nes ei bod wedi tynnu'r car o'r garej a'i yrru hyd at ddrws y siop cyn imi gyrraedd. A ni'n tri yn y cerbyd, cychwynnodd i fyny gallt Talgraig yn feistrolgar. Mae cyffordd T ar ben yr allt honno a chymerais yn ganiataol y byddai Mem yn arafu hyd at aros ennyd cyn troi i'r briffordd am Abersoch. Wnaeth hi ddim. Pan dynnais ei sylw at ei chamwedd wedi adennill fy anadl, 'O,' meddai – 'fydd 'na neb arall ar y ffordd ar fora Sul fel hyn 'sti.' Yna, pan oeddym yn agos i Lanbedrog cefais dipyn o fraw wedyn pan dynnodd Mem ei dwy law oddi ar y llyw a'u rhoi ar ei bol a datgan ei bod wedi anghofio rhoi ei staes. Gwyrodd llwybr y car am eiliad neu ddau ond, yn ffodus, doedd 'na ddim car arall yn agos ar y pryd. Am ei bod yn fore Sul 'debyg.

Doedd gyrru'r Ffordyn wysg ei din ddim yn un o alluoedd gorau Mem, er bod hynny'n hanfodol i gael y cerbyd o'i gwt, a hynny ar hyd pont gul heb furiau tros ffrwd y pentref. Fwy nag unwaith y cefais gais am help i godi'r car a oedd ag un olwyn yn hongian uwch y llifeiriant gwyllt.

Gwers, a chystadlu

Mae sôn am godi car Meri Jones wedi rhoi fy stori innau yn ôl ar y ffordd, gan mai yno, wrth y bont o'i garej, y daliasom y crëyr, ac mae hynny'n fy arwain yn ôl at Huw Wilias, a ddaliai'r tyrchod daear.

Pan ddôi acw i Dyncae yn ei dro, awn efo fo hyd y caeau, ac yntau yn arddangos ei dechneg. Ar ddiwedd y wers dyma fi'n gofyn – 'Fuoch chi mewn coleg yn dysgu dal tyrchod, Huw Wilias?' Anghofia i byth ei ateb – 'Mi dwi'n y coleg o hyd 'ngwas i. Coleg ydi bywyd ar ei hyd yntê." A dichon fod Huw Wilias erbyn hynny wedi graddio yn y coleg hwnnw gyda chryn anrhydedd. Deuai acw unwaith yr wythnos efo piser i nôl llaeth enwyn. Syndod inni oedd ei weld un diwrnod, gan inni glywed am farwolaeth ei wraig y diwrnod cynt. 'Wel,' meddai, 'mae'n rhaid i fywyd fynd yn 'i flaen. A dim ond wedi mynd o'n blaena ni mae hi.'

Sôn am gael gwers gan y tyrchwr rhadlon, gwers arall y bu imi elwa oddi wrthi'n fawr oedd eisteddfota, dysgu colli heb chwerwedd ac ennill heb ormod o ben chwyddiant gobeithio. Er pan oeddwn tua deg oed, o dan ddylanwad fy mam, byddwn yn cystadlu ar adrodd mewn eisteddfodau lleol, ac unwaith yn y Genedlaethol (Bae Colwyn 1947). 'Y Llwynog' gan I. D. Hooson oedd y darn, a minnau'n llefaru yn ddramatig bregethwrol, mae'n siŵr.

Gwersyllem mewn ysgol yn Hen Golwyn am wythnos. Wel am hwyl, ac Emlyn Jones a Nansi Mai yn ceisio perffeithio perfformiad y côr hyd at y munud olaf – 'Rwyf weithiau yn Llundain ac weithiau yng Nghaer yn galw'n daer amdani, / weithiau yn cloi fy hun mewn cell, ac weithiau ymhell oddi wrthi.' Cofiaf y geiriau er nad oeddwn i yn y côr. Llais canu fel brân oedd gen i, ond llais adrodd go lew, a chefais aml i wobr gyntaf, os caf ddweud heb ymddangos fy mod i'n brolio fy hun. Ond os na wnaf, pwy . . . Does fawr neb ar ôl bellach a werthfawrogai unrhyw orchest y gallwn ei chyflawni. Teimlaf yn hynod o ddiolchgar imi ennill y Goron Genedlaethol tra oedd Nain Tyncae yn dal yn fyw.

Dewis gwaith

Er bod fy nhad eisiau imi fod yn ffermwr, a Nain am imi fod yn bregethwr, pan ddaeth yn amser gadael yr ysgol gwyddwn yn iawn beth roeddwn i eisiau ei wneud – rhywbeth yn y maes trydanol, a oedd yn gyfaredd bur imi. Neidiais at y cyfle i fynd yn brentis efo Manweb ym Mangor, gyda bendith fy nhad, er ei siom na chawsai fab i'w helpu ar y fferm gartref. Gwahoddwyd fi i ymgeisio am ddwy swydd arall, sef prentis efo'r GPO, adran y teliffon, a thorri enwau ar gerrig beddau ym Mhwllheli. Yr olaf a gynghorai Alun Williams, yr ysgolfeistr byrlymus, imi gymryd, gan y gallwn, meddai ef, ddefnyddio fy nawn farddonol i lunio beddargraffau. Buasai mynwentydd Llŷn yn frith ohonynt erbyn hyn, a'r rheini'n ddigon tila, mae'n siŵr, fel yr hen linell honno o awdl Llywelyn ap Gutun a roddwyd gan rywun ar fedd dyn a foddwyd – 'Mae'n y Nef am na nofiai'. Doedd gen i fawr o awydd i'r gwaith hwnnw, a alwodd Douglas fy ffrind yn – '*Dead end job.*'

Camgymeriad ar ran yr ysgolfeistr oedd meddwl fod y fflam farddol yn dal i losgi ynof bryd hynny. Roedd wedi'i diffoddi'n llwyr gydag un frawddeg gan athrawes, yn fuan wedi imi ddechrau yn Ysgol *Central*. Yn llawn brwdfrydedd un bore es â cherdd yn gynnes o 'mhopty prydyddol iddi. Yn hwyrach galwodd fi ati a dweud – 'Mae'r farddoniaeth roesoch i mi gynnau yn wych, ond dw'i eisiau ichi ofalu bob amser mai eich gwaith chi eich hun ydio.' Doedd neb wedi fy helpu i bobi na chrasu'r gerdd, ond yn hytrach na gwrthdystio, neu'i herio i brofi ei chyhuddiad, yn ôl i'm desg yr es, a fy malchder awenyddol yn deilchion. Llyncais ful, ac nid ysgrifennais farddoniaeth o ddifri wedyn tan tua 1970, pan oeddwn yn 37 oed, oddieithr rhigymau, limrigau a cherddi doniol yn null y Bardd Cocos. Ond na, bu bron imi anghofio am ddwy gerdd a sgwennais yn fuan wedi imi golli 'ngghariad. Does gen i ddim copi o'r rheini. Cofiaf wthio un trwy grac i nenfwd llofft yn fy hen gartref, ac fe'i bwytawyd gan lygod bach gobeithio. Anfonais y llall, pan oeddwn yn dysgu bod yn filwr ger Farnborough, o dan y ffugenw Emyr, i'r *Cymro*, ac ymddangosodd yng ngholofn farddol Meuryn yn Awst neu Fedi 1954. Rhyw rigymau digon cwynfanllyd a hunandosturiol oedden nhw, mae'n siŵr, ond yn therapi da i fachgen ifanc hiraethlon.

Cefais hyd i'r gerdd a roddais i'r athrawes amheus yn Ysgol Fron Deg pan oeddwn yn 12 oed:

Y WENNOL

Daw hon pan ddêl y gwanwyn
A'r blodau pert i'r ddôl,
Ar flaen yr awel addfwyn
o'r Affrig bell yn ôl.

Yn saeth sy'n hela gwybed;
Ar lafn o asgell mae'n
hedfan ar wib ddi-arbed
tros lyn yn ôl a blaen.

O'i llwybr syth hi wyra
Am ennyd uwch y lli;
Heb ddisgyn mae'n diota,
Mor fedrus ydyw hi.

Ei nyth o dan y bondo
A wnaeth o wellt a chlai;
Daw wyau gleision iddo,
A chywion ddiwedd Mai.

Cânt haf i ddysgu hedeg
Fel eu rhieni chwim;
A buan y daw'r adeg. . .
Heb gwmpawd, map na dim.

Ânt pan ddêl yr hydref
I grino blodau'r ddôl
O flaen y rhew am adref
I'r Affrig bell yn ôl. (1945)

Ar fy mlwyddyn ysgol olaf.

Mae gwers i athrawon yn y stori, mi gredaf, sy'n dangos pa mor hawdd yw brifo teimlad plentyn heb fwriadu. Ond rwyf wedi llwyr faddau i fy nghyn-athrawes, ers 1975, gan mai hi, Dilys Cadwaladr, gyda Haydn Lewis, oedd y ddau feirniad o blaid rhoi'r goron am fy ngherdd i, yn hytrach nag am un y Prifardd Donald Evans, yn Eisteddfod Genedlaethol Cymru a gynhaliwyd yng Nghricieth y flwyddyn honno.

Ymorol a morwriaeth

Aeth Douglas yn brentis technegwr deintyddol, a thros y blynyddoedd mae ei grefftwaith cywrain wedi cyfannu a phrydferthu llawer o gegau Llŷn, a phellach. Yn wir, llanwodd un bwlch i mi yn ddiweddar ar bont fetel yn gelfydd iawn. Ond y golled yn dilyn damwain i'm dant uchaf, canol ond un, pan oeddwn tua 15 oed, a achosodd ing seicolegol i mi. Wedi'i daro yn yr ysgol aeth braidd yn dywyll ei liw, a phan es at ddeintydd ifanc byrbwyll ym Mangor, flwyddyn neu fwy wedyn, perswadiodd y llob fi i'w dynnu, gan roi dant plastig ar blât yn ei le. Casáwn y syniad o gael dant gosod, a wisgais i'r un am rai blynyddoedd, er imi deimlo'n hunanymwybodol iawn o achos fy mwlch, a cheisio'i guddio orau y gallwn trwy beidio â gwenu. Cefais dipyn o dynnu fy nghoes gan fechgyn Manweb a waethygodd y sefyllfa. Cyfeirient ataf fel *'prairie teeth'*, a'm poenai fwy na'r dant a dynnwyd. Wrth gofio'r achlysur yn ddiweddar ysgrifennais yr englyn hwn sy'n datgan hen deimladau o'm llencyndod, pan roddwyd y dant plastig yn syth yn fy ngheg ar ôl tynnu'r llall.

BWLCH

Ym mharlwr rhes fy mherlau, un canol,
fu'n cynnal fy ngwenau. . .
Er parlys fy ngwefusau,
eryr cur yw'r plastig gau. (1998)

Erbyn meddwl, efallai y gallasai Douglas fod wedi fy helpu bryd hynny, er mai newydd gychwyn ar ei brentisiaeth yr oedd o. Roedd o'n hynod o fedrus efo'i ddwylo yn yr ysgol pan fyddem yn gwneud gwaith coed efo Idwal Owen, athro arall hoffus a fynnai inni blaenio darn o bren – 'nes ei fod mor llyfn â thin babi'.

Yn ôl yr hen ddywediad, mae cyw o frîd yn well na phrentis, ac roedd Rhys, fel y galwai Douglas ei dad, yn hynod o ddeheuig efo'i ddwylo, yn fecanig a gweithiwr metel penigamp. Dangosodd ei gywreinrwydd fel cerfiwr coed hefyd pan wnaeth stoc newydd i'r hen wn a brynodd fy nhad mewn ocsiwn, fel y crybwyllais eisoes.

Rhys oedd peiriannydd bad achub Pwllheli pan oeddem ni'n blant. Braint fawr i mi aml i dro fu cael mynd ar y bad rhyfeddol hwnnw a dynnid i'r môr gan dractor enfawr ar draciau fel tanc, ac a allai fynd trwy ddŵr rai troedfeddi o ddyfnder. Roeddwn wedi fy syfrdanu gan y profiad. I lawr ysgol haearn yng nghrombil y cwch roedd dwy injan diesel fawr, un bob ochr i rodfa, a'r rheini wedi'u peintio'n lliw hufen, heblaw am y platiau pres yma ac acw a oedd yn sgleinio fel aur, a dim smotyn o olew na brycheuyn o lwch yn unman. Ac O! . . . Pan gychwynnai'r ddwy injan roedd eu taranu yn fy argyhoeddi fod nerth cant a hanner o geffylau ym mhob un fel y dywedai Rhys. Ein difyrrwch arall ar y bad achub oedd defnyddio'r bibell siarad rhwng cabanau.

Yn yr un cyfnod, yn fuan wedi diwedd y Rhyfel, gadawyd awyren fôr enfawr o'r enw *Catalina* ar y traeth wrth Garreg-yr-Imbill. Anrheg gan y Swyddfa Ryfel i blant Pwllheli, mi dybiwn, gan iddi roi oriau o bleser inni; yn gyntaf yn smalio'i hedfan, ac yn ddiweddarach yn ei datgymalu. Hyd yn ddiweddar iawn gwelais ddarnau ohoni o gwmpas fy ngweithdy. Ew, mi gawsom ni hwyl, a ddaeth neb i gwyno ein bod wedi malu'r awyren. Efallai i rywun gael y syniad y buasai'i gadael i'r plant ei difa yn ffordd rad o gael 'madael â hi.

Dihangfa gyfyng

Doedd dim a oedd mor gyffrous â mynd ar fad achub a malu eroplen yn fy nghartref i, ond deuai Douglas acw i Dyncae weithiau, i bysgota yn afon Soch a hela cwningod i ddechrau, ac wedyn ar hen fotobeic, y byddem yn ei yrru ar hyd y caeau. Dyna'r unig dro erioed i mi reidio motobeic, ac mae'n dda hynny efallai, gan imi bron iawn â bod mewn damweiniau difrifol yr unig ddau dro imi fod yn gyd-deithiwr ar un. Y tro cyntaf roeddwn mewn *sidecar*, a ddaeth yn rhydd o'r motobeic funudau wedi imi gamu ohono. Ychydig ynghynt roeddym yn gwibio ar hyd yr A5 rhwng Bangor a Phorthaethwy, dros bont Telford. Yr ail dro roeddwn yn cael reid efo ffrind ger Gillingham, Kent. Wrth fynd dros bant yn y ffordd, tynnwyd y cêbl a chlodd y brêc ôl gan achosi i'r peiriant lithro fel slêd ar eira am ugain llath neu fwy cyn aros, a ninnau'n ffodus yn dal i eistedd arno. Digwyddiad arall a'm rhusiodd rhag deisyfu motobeic yn fy llencyndod oedd damwain a gafodd fy ffrind hŷn – Ieuan, Treheli. Er iddo wella'n iawn, gadawodd y profiad o'i weld yn yr ysbyty yn anymwybodol, a'i wyneb yn bwythedig, gryn argraff arnaf.

Yn ôl at deulu Douglas. Roedd ei fam o Ryd-y-clafdy ac yn ffrind arall i Anti Nel pan oeddynt yn blant. O ardal y Rhiw y deuai'i dad, ac wedi byw yn America yn ddigon hir i fod yn ddinesydd y wlad honno, cyn dychwelyd i Lŷn, priodi a chartrefu ym Mhwllheli.

Gwywo yn ei gwanwyn

Roedd ganddynt ferch dipyn hŷn na Douglas – Agnes, geneth hawddgar, brydweddol iawn a chanddi dawn gerddorol arbennig. Gallai wneud i'r piano siarad o dan ei bysedd heini. Arbenigai yn y gerddoriaeth *boogie-woogie* a oedd yn boblogaidd yn y cyfnod hwnnw. Yn anffodus heintiwyd Agnes gan glefyd y darfodedigaeth yn asgwrn ei chefn. Honnai'r arbenigwyr meddygol nad oedd dim y gallent hwy ei wneud, ac mai gorffwyso oedd ei hunig obaith. Cofiaf hi'n dod i ffenestr ei hystafell wely i sgwrsio efo ni, a thystiaf mai 'mwy trist na thristwch' oedd gwylio'i golau disglair yn diffoddi'n araf dros rai blynyddoedd.

Erbyn i Agnes gael gollyngdod o'i chystudd, roeddwn i wedi gadael yr ysgol, a chofiaf alw i gydymdeimlo â'r teulu. Mrs Jones, mam Agnes a Douglas, yn sôn sut yr oedd eu merch wedi colli pob diddordeb mewn cerddoriaeth er dechrau ei gwaeledd hir, a heb gyffwrdd â'r piano nes iddi, ddiwrnod neu ddau cyn marw, godi o'i gwely a dod i lawr y grisiau i'w chanu mor hyfryd ag erioed, am y tro olaf.

Yr hyn sy'n fy ngwylltio i hyd heddiw wrth feddwl am achos Agnes, fel llawer achos arall, yw fod meddyginiaethau rhad ac effeithiol yn wybyddus ac ar gael bryd hynny, a thros ugain mlynedd yn gynharach. Roedd eu llwyddiant bron i 100% yn erbyn y diciâu a llawer o afiechydon eraill na all cyffuriau drud meddygaeth uniongred fodern eu gwella. Y profiad hwn yn rhannol a'm symbylodd i ymddiddori a chyfrannu trwy ymchwil at 'feddygaeth wahanol'.

Antur Manweb

Un pwnc yn unig oedd o wir ddiddordeb i mi, sef trydan a chofiaf yn dda fynd am gyfweliad i hen adeilad Manweb ar Ffordd-y-Garth, Bangor; ar fws yr holl ffordd o Langïan efo Mam, a finnau'n teimlo'n gyfoglyd cyn cyrraedd Pwllheli. Aeth Mam i siop fferyllydd i ofyn am ddôs o rywbeth i setlo stumog yr hogyn. Mi weithiodd mae'n rhaid, gan na chofiaf deimlo'n sâl yn ystod gweddill y daith i Gaernarfon nac ar y bws ymlaen wedyn i Fangor.

Cyrhaeddom yn ddigon cynnar inni ddarganfod adeilad Manweb mewn da bryd. Yna, aeth Mam am dro rownd siopau, a minnau am y cyfweliad, yn bur nerfus.

Roeddwn wedi fy mesmereiddio'n llwyr gan yr holl offer trydanol a oedd yn grwnian ym mhob cwr o'r adeilad. Deallais mai yn yr adran trwsio a chywiro mesuryddion ynni trydan yr oedd y swydd yr oeddwn yn ymgeisio amdani. Ew, roedd y lle fel ogof Aladin o fesuryddion, trawsnewidyddion, switsiau mawr a mân, rectiffeiar arian byw yn fflachio'n las, banciau o fatris gwlyb ac ati; a hyd yn oed arogl mellt yno.

Mae'n rhaid i fy llygaid wreichioni cymaint nes i Mr Blunt, y peiriannydd, feddwl ei fod wedi darganfod ail Faraday. Ofynnodd o ddim mwy nag un cwestiwn imi – 'Do you know Ohm's Law?' 'Yes of course', meddwn, mor hyderus fel nad amheuodd fod unrhyw wendid yng nghwricwlwm 'Academi'r Fron Deg', chwedl Douglas. Roedd hyn yn dra ffodus imi gan mai bas iawn oedd fy ngwybodaeth ym mhob maes a bod yn onest, fel y darganfu fy nghydweithwyr, a mi fy hun, o fewn wythnos wedi imi ddechrau ar fy mhrentisiaeth.

Adeilad Manweb gynt, fel y mae heddiw.

Rhai o weithwyr Manweb, Bangor, 1952.

Yn ogystal â darganfod fy niffygion addysgol, yn y dull traddodiadol i brentisiaid, cefais fy herian yn ddi-drugaredd o'r diwrnod cyntaf – fy ngyrru i'r '*stores, for a long stand. . .*' '*O yes, lad, wait over there will you*' . . . Ar ôl disgwyl am hydoedd mewn syrffed, gofyn i'r *storekeeper* eilwaith . . . '*O yes, lad, sorry about that, now you've had a long stand you'd better go!*' Pawb oedd yn y *stores* yn chwerthin yn afreolus, ac felly hefyd y rhai a'm gyrrodd pan ddychwelais yn waglaw.

Wedi darganfod gwendid yn fy ngallu gramadegol Saesneg, gan gynnwys sillafu, cawsant lawer o ddifyrrwch trwy ofyn imi sgwennu pethau yn yr iaith honno a amlygai fy ffaeleddau. Un enghraifft – '*Write MISCELLANEOUS on the label and attach it to the top drawer of the cabinet.*' Dyna'r dasg, a finnau druan bach heb affliw o syniad beth oedd ystyr y gair heb sôn am ei sillafiad. Hwyl fawr, a minnau'n cochi hyd at fy nghlustiau, mae'n debyg. Dw i ddim yn berffaith siŵr sut i sillafu'r gair rŵan a bod yn onest.

Yn brentis Meter Test, 1951.

Yn ystod fy mhythefnos gyntaf ym Mangor cefais y fraint, trwy fy Ewyrth Alun (hanner brawd Nain Tyncae), swyddog technegol efo'r BBC, o fod yng nghynulleidfa un o'r Nosweithiau Llawen gwreiddiol o Neuadd y Penrhyn. Roedd cael gweld yr hyn a fwynhawn gymaint gartref ar yr hen weiarles yn brofiad amhrisiadwy i mi – Triawd y Coleg, Richard Huws y 'Co Bach', a Bob Roberts Tai'r Felin yn dawnsio ar y llwyfan wrth ganu am Mari Fach ei gariad o Hafod y Rhiw, ac yn y blaen.

Ymgartrefu

Fy llety cyntaf ym Mangor oedd 27 Friars Road, efo pâr ifanc â dau o blant, lle nad oeddwn yn hapus iawn; dieithrwch a hiraeth am Ben Llŷn, mae'n debyg. Gadewais ar ôl tua mis, i aros yn 36 Trem Eryri, Porthaethwy, Ynys Môn, efo Vivian a Janet Brown a'u plant. Vivian yn fforman yn yr adran lle y gweithiwn, ac wedi bod yn *rear gunner* ar awyren fomio yn ystod y Rhyfel. Soniai am ei brofiadau arswydus ar rai o'i ddeg ar hugain o deithiau i fomio trefydd yr Almaen. Câi hunllefau'n aml – teimlo'i hun eilwaith yn garcharor unig yn y tŵr gwydr ar gynffon y Lancaster, ei law ar y gwn peiriant, goleuadau'r gelyn yn ysgubo'r awyr, a'u hawyrennau amddiffyn yn gwibio fel gwybed o'i gwmpas. Nid rhyfedd iddo gael hunllefau. Soniodd am un noson arbennig pan aeth bwledi drwy'r awyren, ddim mwy na throedfedd uwch ei ben gan dorri pibellau olew. Yn y tywyllwch teimlai'r hylif yn llifo i lawr ei gefn ac roedd yn argyhoeddedig ei fod wedi'i saethu, ac mai ei waed oedd yn diferu. Cofiai gyrraedd yn ôl o'r Almaen, taith deirawr, ac amryw o'r criw wedi eu hanafu neu'n farw. Unwaith ag ymennydd y gynnwr uchaf wedi'i dasgu dros ffenestri'r tŵr.

Yno gyda Vivian a'i deulu bûm yn hapus iawn am y gweddill o'm pum mlynedd o brentisiaeth. Cwmnïaeth ddifyr, ac fel y digwyddodd ymhellach ymlaen, lle ardderchog i astudio yn f'ystafell wely, o flaen ffenestr fawr gyda'r olygfa banoramig o Eryri.

Manweb ar donnau Menai

Prynodd Vivian Brown gwch modur bychan a chawn fynd gydag ef a'i gyfeillion i bysgota ar gulfor Menai. Sôn am hwyl ac anturiaethau – injan y cwch yn stopio unwaith a ninnau yn y *Swellies* am fod lein bysgota un ohonom wedi weindio am y *prop* a'r llanw'n llifo'n gryf i gyfeiriad Bangor. A bron cyn inni allu dweud Llanfairpwllgwyngyll . . . ogogoch roeddym yn pasio pier y ddinas honno. Bu'n rhaid inni rwyfo'r holl ffordd yn ôl gyda'r lan i osgoi'r cerrynt nerthol.

Erys yn fy nghof, un noson arbennig o dda am ddal pysgod, gyferbyn â Chadnant ar ganol y Fenai; mor dda, yn wir, nes i'r tri ohonom oedd yn y cwch anghofio fod tywyllwch yn prysur gau amdanom. Dychryndod mawr inni oedd gweld fferi Ynys Manaw yn hwylio'n syth tuag atom. Mewn panig dechreuodd Vivian oleuo matsys un ar ôl y llall a'u taflu i'r awyr. Wn i ddim a fu hynny'n gyfrifol am ein hachub ond trodd y llong, a edrychai gymaint â'r *Queen Mary* i ni, rai degau o lathenni cyn ein cyrraedd.

Dro arall bachwyd llysywen fôr (*conger eel*). Gyda chryn frwdfrydedd y dirwynwyd y lein, nes y daeth yr anghenfil mawr a gorddai'r dŵr i'r golwg. Penderfynwyd yn sydyn iawn mai torri'r lein oedd y peth doethaf. Cofiaf eiriau Ken Owen, gweithiwr arall o Manweb a oedd gyda ni – *'If that bloody thing is coming in the boat I'm jumping out.'*

Ambell noson, dim ond crancod a ddaliem. Rhuthrent am yr abwyd cyn i unrhyw bysgodyn gael sawr ohono. Wedi codi cranc go lew, y tric fyddai'i ollwng yn slei i boced gan ddisgwyl i'w pherchennog roi'i law ynddi a chael pinsiad.

Trwy ddylanwad Mrs Brown, mam Vivian, a oedd yn byw yn nhop yr allt cyn cyrraedd fferm Tyddyn-to o gyfeiriad 'Hen Bictiwrs Bach y Borth', dechreuais fynd i gyfarfodydd yng Nghapel Pen Rhiw ar nos Iau, a thrwy hynny ddod i adnabod y Parch. Llywelyn Hughes a'i deulu croesawgar.

Yn y gaeaf awn i gyfarfodydd cymdeithas lenyddol hefyd, yn festri'r Capel Mawr. Yno, braint oedd bod yng nghwmni amryw o wybodusion prifysgol, a chael hwyl ymhlith pobl o wahanol gefndir.

Roedd y diwylliant a'r hiwmor yn iechyd imi, ond erbyn diwedd fy arhosiad ym Mhorthaethwy roeddwn mor brysur yn paratoi at arholiadau Tystysgrif Genedlaethol fel nad oedd gennyf amser i bysgota, darllen llenyddiaeth na chrwydro'r wlad o gwmpas, heblaw am un eithriad. Temtiwyd fi i fynd i'r Traeth Coch ar gyda'r nos fendigedig, i hel cocos, a hynny ar noson cyn un o'r arholiadau pwysicaf. Teimlwn euogrwydd fel y mynyddoedd mawr a welwn o'm hystafell, ond rhaid fod mynd wedi fy helpu i ymlacio a chlirio fy mhen gan imi gael 100% yn f'arholiad drannoeth.

Gwayw

Doedd dim cyfle i bysgota yn fy mlwyddyn olaf. Dyna pryd y gofynnodd Janet Brown imi fynd i alw ar Vivian a oedd yn y cwch rhwng y ddwy bont, i ddweud fod ganddi bigyn yn ei bron, a gofyn iddo frysio adref. Y pigyn hwnnw oedd yr arwydd cyntaf o'r cancr a'i goresgynnodd o fewn blwyddyn wedi i mi ymadael, a chyn iddi gyrraedd ei deugain oed, a'i mab ieuengaf David yn ddim ond tua thair.

Gwaith, iaith ac ystrywiau

Nid fy ngwendidau addysg yn unig a fyddai'n destun sbort i hogiau Manweb, ond hefyd fy nghefndir gwladaidd, amaethyddol, crefyddol, Cymreig, a'm diniweidrwydd, a'm gwnâi yn un hawdd fy nharfu wrth iddynt adrodd jôcs rhywiol, a sôn am hawddfyd gor-broffidiol ffermwyr – yn derbyn grantiau hael a chysgu mewn gwlâu plu tan ddeg o'r gloch y bore. Roedd llawer o'r ansoddeiraiau a ddefnyddid yn rheolaidd yn ddieithr ac ysgytiol i fachgen un ar bymtheg oed o Langïan bryd hynny; wedi fy nghyflyru i gredu mai dim ond yn Sodom a Gomora y siaredid felly.

Roedd amryw o'm cydweithwyr, newydd fod trwy Armagedon yr Ail Ryfel Byd wrth gwrs, ac eraill â dylanwad y cyntaf yn parhau arnynt: Walter Jones, er enghraifft, yn ymladd am ei anadl bob bore o achos iddo anadlu nwy gwenwynig yn Ffrainc ym 1918. Un arall, John Davy, wedi'i glwyfo yn ei gefn, ar waith ysgafn. Cariai frws a chadach yn ei ddwylo'n barhaus, a'u defnyddio'n awchus pan ddôi'r bòs heibio. Ei unig wir ddiddordeb, fel amryw o'r gang (fel y gelwid y labrwrs), oedd betio ar geffylau. Cyn dechrau gweithio aml i fore byddai twr ohonynt yn astudio'r papur dyddiol, cyn dewis enwau'r ceffylau a mynd â'u *slip* i siop Bob Jones y Bwci. Felly roedd pan roddodd John Dennis dân ar gongl isa'r papur ryw fore!

Yn yr adran fesuryddion roedd gennym set radio, yn swyddogol i brofi cywirdeb cloc arbennig, yn answyddogol gwrandawem ar raglen *Music While You Work*, newyddion, a chanlyniadau rasys ceffylau; ac nid anghyffredin i John Davy oedd curo ar y ffenestr ar ôl ras i holi am enwau'r enillwyr. Rhyw ddiwrnod roedd Bobby Crane, bachgen ifanc direidus a weithiai yn ein hadran ni, wedi gwneud nodyn o enwau'r ceffylau a ddewiswyd y bore hwnnw. Pan ddaeth cnoc ar y ffenestr yn hwyr y pnawn adroddodd Bobby y rhestr o enwau a welodd ar y *slip* yn gynharach. Heb drafferthu i holi 'mhellach, na sylwi ar y wên ar wyneb y negesydd, ar ôl gwneud dipyn o syms a chael ffigwr o tua £200 aethant i'r dafarn agosaf i ddathlu. A hynny cyn nôl y siec ddychmygol o'r siop siawns, gan y digwyddai fod yn ddiwrnod tâl. Bu Bobby Crane am ddyddiau dan fygythiad o gael ei drawsnewid yn soprano neu waeth.

Fel y dywedais, roedd yn hawdd achosi embaras imi bryd hynny gan mor gysgodol y bu fy mywyd cynnar, ond daw gwên i fy wyneb yn aml heddiw wrth ddwyn pethau i gof. Pan fyddai Huw yn hwyr dywedai na allai godi gan fod ei wraig wedi cysgu ar ei grys, neu fod ei wraig wedi'i orfodi i gyflawni ei ddyletswydd briodasol, gan ychwanegu fod yn rhaid oelio'r ferfa weithiau rhag iddi fynd i wichian!

Roedd amryw o gymeriadau lliwgar eraill fel Bob Minffordd, a gefnogai dim pêl-droed Bangor i'r fath raddau fel na siaradai efo neb tan ddydd Mawrth os byddai'r tîm wedi colli brynhawn Sadwrn. A byddai'r hogiau yn smalio collfarnu tîm Bangor yn ei glyw nes y ffrwydrai a cherdded o'r ystafell gyda chlep ar y drws ar ei ôl.

Cymeriad diddorol arall a ddaeth i'n helpu dros dro oedd Jack Ludlam, bachgen ifanc a fu ar long gyda'r Llynges Brydeinig am sbel yn ystod ei Wasanaeth Cenedlaethol. Pan fu trafodaeth am gredoau crefyddol, pwrpas bywyd, a'n hynt posibl ar ôl i'n cyrff bydru, adroddodd amryw o storïau am arbrofion ysbrydegol a wnaethant i dorri syrffed wythnosau ar fwrdd llong. Disgrifiodd eu harbrofion efo bwrdd *ouija*, a honni iddynt dderbyn negesau o'r 'Byd Arall', gan gynnwys rhybuddion a phroffwydoliaethau a ddaeth yn wir.

Heb oedi, amser cinio'r diwrnod hwnnw gwnaed fersiwn o'r *Ouija Board*. Gludiwyd llythrennau'r wyddor, rhifau 0-10, a *'Yes'* a *'No'* ar fwrdd dal mesurydd trydan, a dechrau arbrofi. Pedwar neu bump ohonom yn eistedd efo bys bob un ar ecob plastig, yn disgwyl yn amyneddgar am iddo symud o gwmpas y bwrdd fel y soniodd Jack.

Wedi tri neu bedwar sesiwn siomedig, cafwyd cynhyrfiad yn yr ecob a gryfhaodd yn symudiad pendant. Yn ddiweddarach caem negesau synhwyrol yr olwg ambell dro, ac er inni amau mai Bobby Crane oedd yn chwarae triciau, parhâi'r effeithiau pan nad oedd y prif dynnwr coes hwnnw'n bresennol.

Wn i ddim am ddilysrwydd y negesau a ysgrifennwyd bob un, ond cyflawnwyd proffwydoliaethau'r bwrdd yn rhyfeddol o fewn ychydig flynyddoedd. Ffaith a wnaeth i mi ystyried y posibilrwydd fod rhyw bwerau cyfriniol y tu ôl iddo. Collais ddiddoreb fy hunan ymhen rhai wythnosau, ond daliodd grŵp o fechgyn ati am fisoedd neu hyd yn oed flynyddoedd, gan dderbyn negesau a oedd yn ddiddorol iddyn nhw, mae'n rhaid. Yn y diwedd clywais iddynt gael eu dychryn yn arw. Ar ôl i mi ddarfod fy mhrentisiaeth a mynd i'r Fyddin y digwyddodd hynny. Y stori yw iddynt ofyn i un o'r ysbrydion (os dyna'r eglurhad) a gyfathrebai â nhw trwy gyfrwng y bwrdd *ouija* i amlygu'i bresenoldeb mewn rhyw ffordd arall, pryd y digwyddodd amryw o ffenomenau paranormal, gan gynnwys curiadau ac ymddangosiad drychiolaethau. Cawsant gymaint o fraw nes iddynt roi'r gorau i'w sesiynau.

Yn sicr nid drychiolaeth a dorrodd dwll mawr trwy balis asbestos swyddfa, er ei fod fwy na heb o siâp dyn, fel a welsom mewn ffilmiau cartŵn ers talwm, ond Bobby Crane wrth ffug gwffio efo Idris. Un bychan oedd Idris, a Bobby fel arth wedi'i godi o o'r llawr ac yn ceisio'i gario trwy ddrws agored. Wrth ymyl y drws rhoddodd Idris ei draed yn erbyn y ffrâm a rhoi gwth â'i holl nerth. Y canlyniad oedd i'r ddau fynd drwy'r palis gan achosi'r twll yr oedd yn rhaid rhoi eglurhad amdano i'r bòs pan ddeuai yn ôl o'i ginio. Gwirfoddolodd Huw, dyn yr Undeb, a wnaeth stori a fyddai'n anhygoel i blentyn blwydd. Ond gallai Huw wrth barablu argyhoeddi dyn fod brain yn wyn a gwylanod y môr yn ddu. *'You see it was like this, Mr Blunt'*, meddai Huw, *'the pile of meters on top of the cupboard* (a hwnnw o leiaf dair llath i ffwrdd) *toppled and one bounced, you see, and went through the thin partition.'* Celwydd golau yw'r hen derm Cymraeg, a'r cwbl ddywedodd Mr Blunt oedd *'You better get it repaired then to prevent the girl in the office getting cold,'* a rhyw wên amheus yng nghorneli'i lygaid.

Cyd-ddigwyddiadau?

Gan fy mod newydd sôn am ffenomenau paranormal, soniaf yma am ddau ddigwyddiad na allaf eu hegluro, ac sy'n ymddangos yn fwy na chyd-ddigwyddiadau i mi – un yn fuan ar ôl imi ddechrau gweithio ym Mangor (1949/1950), a'r llall yr amser y bu fy nhad farw (1962). Nid na chefais brofiadau rhyfedd eraill dros y blynyddoedd, ond fod y ddau yma'n fwy arwyddocaol efallai. Y cyntaf oedd pan freuddwydiais fy mod wedi darganfod darn o arian a phaent glas drosto. Yn fy mreuddwyd cofiaf ei lanhau a darganfod mai hanner coron efo llun y Frenhines Victoria ydoedd, gyda llun ar ffurf tarian a'r dyddiad 1898 ar yr ochr arall. Ddiwrnod neu ddau yn ddiweddarach yn fy mhoced cefais hyd i hanner coron yr un fath yn union. Cedwais o am flynyddoedd lawer, gyda'r syniad fod lwc dda i'w ganlyn, nes imi'i roi o'n anrheg i ferch ifanc ar ryw funud gwan. Cyn pen wythnos darganfûm hanner coron arall yn union yr un fath wedyn, gan gynnwys y dyddiad. Mae hwnnw yn fy llaw chwith rŵan, ac nid wyf yn debyg o'i roi yn anrheg i neb bellach. Gofynnais i'r ferch ifanc gynt, a'm sicrhaodd fod yr hanner coron gwreiddiol ganddi'n saff o hyd.

Ym 1962 roeddwn yn byw gyda'm gwraig gyntaf a dau o blant bryd hynny ym mryniau'r Cotswold. Arferwn godi tua saith y bore i baratoi at fynd i'm gwaith. Ar fore arbennig, Tachwedd 15, roeddwn wedi deffro tua chwech. Yn ymwybodol o'r amser, es i gyflwr rhwng cwsg ac effro, pryd y cefais freuddwyd mor real nes y cofiaf hi'n fanwl hyd heddiw. Yn y freuddwyd roeddwn gartref yn Llŷn, gyda chyfrifoldeb y fferm ar f'ysgwyddau, gwartheg i'w godro a'u porthi a dwsinau o ddyletswyddau eraill yr oedd yn rhaid imi eu cyflawni. Awgrymai hyn oll yn gryf nad oedd fy nhad yno mwyach.

Amser cinio yn fy ngwaith cefais neges yn dweud fod fy nhad wedi marw trwy gael trawiad calon yn gwbl annisgwyl. Gwyddwn rywsut beth a fyddai'r neges cyn ateb y ffôn. Wedi nôl fy ngwraig a'r plant cychwynasom ar y daith hir i Dyncae, a chyn nos cefais fy hunan yn yr union sefyllfa a ragbrofais rhwng chwech a saith o'r gloch y bore cofiadwy hwnnw.

Flynyddoedd yn ddiweddarach, ym 1971, y dechreuais ymddiddori o ddifri ym maes y paranormal, a gallwn yn hawdd ysgrifennu llyfr cyfan am fy mhrofiadau. Yma ni wnaf ond crybwyll ychydig bethau a enynnodd fy niddordeb cynnar.

Un o'r pethau hynny oedd yr awyrgylch crefyddol y'm magwyd ynddo, y sôn parhaus am 'fyd yr ysbryd' a glywais er yn gynnar iawn yn fy mywyd. Onid ysbryd oedd Duw, a welai bopeth da a drwg a wnawn, er na welwn i mohono Ef? A hanes Crist ar Fynydd y Gweddnewidiad, lle y daeth Moses ac Elias ar ymweliad, er iddynt fod wedi marw gannoedd o flynyddoedd cyn hynny. Ond hanesion am ddigwyddiadau o'r gorffennol pell, pell yn ôl oedd y rhain.

Cafodd sgwrsio efo Anne Williams, Ty'n-pistyll gryn effaith arnaf. Hen ferch ddiwylliedig oedd wedi treulio cyfran helaeth o'i hoes yn gweithio yn Llundain, a sbel wedi ei chanol oed wedi dychwelyd i fyw ym Mynytho oedd Anne Williams. Dynes glên a roddai frechdan driog i ni blant Llangïan a'r ein taith gerdded o'r ysgol weithiau. Deuai Miss Williams i Gapel Smyrna yn rheolaidd bob Sul. Cerddai i lawr i Langïan at oedfa'r bore a chael cinio a the yn nhai gwahanol aelodau. Yn ei thro deuai i'n tŷ ni, a byddwn wrth fy modd yn ei holi ar amryw bynciau gan gynnwys ysbrydegaeth, wedi iddi ddweud y byddai'n mynychu *séances* yn Llundain. Yn wir, dysgais fwy am y byd ysbrydol trwy sgwrsio efo Miss Williams nag yn Smyrna, nac wrth holi'r pregethwyr parchus ac ysgolheigaidd a ddeuai acw. Er, cofiwch, cawswn bleser mawr yng nghwmni rhai ohonyn nhw, fel Robin Williams pan oedd o'n efrydydd, a Tom Nefyn, a aeth at y piano ar ôl te a chanu emynau a hen ganeuon morwyr Nefyn a Phorthdinllaen.

Ond erbyn ystyried, gweinidog Methodist wedi ymddeol a gafodd fwyaf o ddylanwad ysbrydegol arnaf, mae'n debyg, sef y diweddar . . . (Na, gwell imi beidio dweud hynny rhag ofn ei fod yn gwrando!) Y Parchedig John Williams, Edern, yw'r gŵr a ddaeth i roi darlith i ni yng Nghlwb Ffermwyr Ieuainc Llangïan yn Neuadd yr Eglwys ar noson rewllyd. Gŵr hynod a charismatig a gadwodd ein diddordeb am o leiaf ddwyawr efo'i hanesion am ei brofiadau gydag ymwelwyr cariadlawn a rhai bygythiol o'r dimensiwn ysbrydol. Argyhoeddodd amryw ohonom fod y byd tu hwnt mor real, neu yn fwy felly, na'r byd ffisegol yr ydym yn gyfarwydd ag o.

Doedd ymweliadau o'r dimensiwn hwnnw ddim yn hollol ddiarth i mi chwaith. Yn gynharach soniais am ddigwyddiadau rhyfedd ar ôl marwolaeth Taid. Mae hanes arall a gafodd effaith arnaf, sef am bobl yn gweld drychiolaeth dyn a oedd wedi boddi ei hun yn afon Soch ger fy nghartref tua 1914. Prysuraf i'ch sicrhau nad fy nain yn unig a'i gwelodd dros y blynyddoedd. Soniodd Saesnes o Lundain, a ddaeth i fyw i'r hen gartref ar ôl fy nheulu, iddi hithau gael profiad tebyg amryw weithiau. Yn sicr, doedd neb ohonom wedi yngan gair erioed am y peth wrth neb.

Mae'r gerdd isod wedi'i seilio ar hanes yr hen Owen Gongl, chwedl fy nain, gŵr o Fynytho yr oedd bywyd wedi mynd yn drech nag o. Adroddai Nain hanes y trychineb – fel y gwelodd y dyn yn cerdded heibio'r tŷ i gyfeiriad y Morfa, ac wedyn yn crwydro'n fyfyriol hyd lan yr afon. Soniai hefyd am yr helynt o chwilio am ei gorff, dynion yn cribinio'r dyfroedd, cyn ei ddarganfod yn y pwll dwfn sydd yn nhro'r afon ger y Bont-newydd. Clywodd Nain floedd o 'Dyma fo' gan y sawl a'i bachodd, a'r drafodaeth rhwng y dynion am y ffordd orau i symud y corff soeglyd o'r Morfa i Fynytho. Clywodd ddatganiad rhywun cyn iddynt gychwyn ag o ar hyd y ffordd bost: 'Mi geith y diawl fynd yn ei ôl ffordd dôth o yma.' Ond gwyddai Nain yn wahanol.

YR YMWELYDD

Ar nos Calan Gaeaf
(meddan nhw)
pan fydd haen o wydr
ar ferddwr dwfn y Morfa;
mor chwit ag arswyd, ymddengys . . .
Rhithlun o darth ffosffor.

Ymlusga'n fusgrell hyd y lan,
heb sathru'r barrug
na rhusio'r hwyaid effro.

Ar ymyl pwll gerllaw'r bont
(y'm rhybuddiwyd ganwaith rhag ei affwys du)
erys mewn cyfyng-gyngor sbel. . .
fel dafad a gornelwyd
yn ystyried llam. . . Yna,
gwich hollti'r iâ
a bwrlwm yn yr oerddwr.

* * *

Ai adlewych yw,
yn nrych teimladrwydd,
o ddrama enaid unig a ddihangodd
drwy'r ffens o garchar bywyd;
ynteu yr 'hen gychwr' ffeind
a ddaw ag ef yn ôl
ar barôl o Annwn? (1985)

Cefais brofiad rhyfedd arall pan oeddwn tua deunaw oed, pryd y bu farw fy hen nain, mam Nain Tyncae, a drigai gyda'i mab ieuengaf dibriod, Joni, ar fferm Bachellyn ger Llanbedrog. Bûm yno efo fy Nain, yn ymweld â Nain Bachellyn a John Jones ganwaith yn ystod fy mlynyddoedd cynnar, sy'n dwyn llawer o atgofion hyfryd yn ôl imi. Tybiaf fod y tŷ bryd hynny yn union fel ag yr oedd ganrif neu fwy'n gynharach. Dyna'r unig dŷ ac eithrio Llwyngwanadl (cyn-gartref y teulu) lle clywais griced yn canu tu ôl i'r grât yn y gegin. Dywedai Nain fod coel ers talwm fod cricedau mewn cegin yn dod â lwc dda i'r teulu. Ta waeth am hynny, byddwn wrth fy modd yn mynd i Fachellyn pan oedd yr hen wraig yn fyw ac wedi hynny. Gweithiai Dewyrth John, Joni i'w frodyr a'i chwiorydd, ei hunan ar y fferm lawer o'r amser pan oeddwn yn f'arddegau, er iddynt, flynyddoedd cyn hynny, gyflogi un neu ddau o weision a morwyn. Hyd yn oed wedyn deuai dynion i helpu ar y tir amser cynhaeaf a merched yn y tŷ yn achlysurol. Cofiaf am Mrs Dale o Lanbedrog yn arbennig am y deuai â'i merch brydweddol, Beti, gyda hi weithiau, dipyn hŷn na fi ond roeddwn yn hoff iawn o'i chwmni.

Am gyfnod, deuai merch arall o Bwllheli a chofiaf wirfoddoli i'w nôl oddi ar y bws unwaith, efo *Rover* mawr ac eithriadol o hen Yncl Joni. Dylwn fod wedi dweud fod Bachellyn gryn bellter o'r ffordd fawr, milltir bron wedi troi ohoni yng Nghrugan ar hyd trac caregog, lleidiog iawn hefyd ar dywydd gwlyb. Cefais wers frysiog gan Joni ar leoliad geriau'r hen siandri, gyda rhybudd ei bod weithiau yn anodd darganfod y gêr ôl. Neidiais yn hyderus i'r *Rover*, yr oedd amser wedi melynu'i ffenestri, ac i ffwrdd â fi i gyfarfod y ferch ifanc. Roedd hi newydd ddisgyn o'r bws ger Crugan pan gyrhaeddais ac wedi cerdded hanner canllath i lawr y trac caregog i'm cyfarfod. Arhosais, ac egluro mai fi oedd ei *chauffeur* am y tro. Neidiodd i'r car yn llawen. Am ryw reswm, heb hidio rhybudd ceidwad y car, penderfynais arddangos fy medr fel gyrrwr trwy wneud 'tro tri phwynt' yn y fan a'r lle. Roedd y trac yn ddigon llydan er ei fod ar i waered. Es ymlaen yn gyntaf gan droi'r car nes bod ei drwyn droedfedd neu ddwy o'r clawdd ochr dde. Yna'i roi yn y gêr i facio feddyliwn i. Ond na, pan ollyngais y clyts efo dipyn bach o ref, aeth y car yn ei flaen. Ail a thrydydd ymgais, a'r cerbyd mawr erbyn hyn â'i drwyn yn erbyn y clawdd, a minnau'n gweddïo am ganfod y gêr ôl golledig, gan wthio'r 'pric pwdin' yn gynhyrfus i bob cyfeiriad. Ymhen hir a hwyr llwyddais a chwblhawyd y troad am Fachellyn. Edrychai Yncl Joni a Nain yn amheus arnom gan ddatgan eu syndod fod y bws mor hwyr.

Dro arall pan aeth Nain a minnau i Fachellyn roedd Joni yn cario gwair heb neb i'w helpu, tasg anobeithiol o lwytho a symud y tractor bob yn ail. Yn falch o'r cyfle i'w gynorthwyo dringais i ben y llwyth ac yntau yn gyrru'r tractor a chodi'r gwair imi. Gwair rhydd, nid byrnau, yr amser hwnnw. Erbyn y llwyth olaf roedd yn demtasiwn i glirio'r cae, ac felly y bu, nes bod y llwyth yn enbyd o uchel, a hynny ar dir go anwastad. Taflwyd rhaff dros y llwyth i'w sicrhau, ac i brofi fy ffydd arhosais ar ei ben, a Joni'n gyrru'r tractor mor araf ag y gallai i gyfeiriad y tŷ gwair. Cyrhaeddom yn ddiogel, ond tybiaf pe byddai un gwelltyn yn ychwaneg arno y byddai'r llwyth wedi troi. Ar un llecyn, haeraf fod un olwyn y trelar yn codi fodfeddi oddi ar y ddaear. Fu dim angen i mi fynd i ddringo creigiau i deimlo gwefr rhyfyg, gan imi'n anfwriadol chwarae deis efo fy mywyd amryw weithiau.

Erbyn hyn, roedd arwyddion fod bywyd fy hen nain yn tynnu at y terfyn, ei cham wedi byrhau a'i hiechyd yn fregus. Yna, a hithau yn tynnu at ei 90 cofiaf fel y bu'n hofran rhwng byw a marw am wythnos neu fwy. Dros y cyfnod hwn byddai rhywrai o'i theulu yn aros gyda hi ddydd a nos. Erbyn ei horiau olaf, dim ond prin anadlu yr oedd hi, a digwyddais fod yn eistedd wrth ei gwely pan dynnodd ei hanadl olaf. Ar y foment honno, bu rhyw siffrwd rhyfedd yn yr ystafell a stopiodd y cloc.

Doeddwn i erioed wedi gweld neb yn marw cyn hynny. I Nain Bachellyn o'i henaint roedd croesi'r ffin mor syml a naturiol ag afal aeddfed yn syrthio oddi ar goeden yn yr hydref.

Rhagor o wrthryfel

Bu fy adwaith i adael fy nghartref ym 1949, er imi ddychwelyd yn aml dros y Sul, yn gymysgedd rhyfedd o hiraethu ac o gryfhau fy ngwrthryfel. Gwrthryfel yn erbyn fy hil amaethyddol, grefyddol, a gyfrifwn yn ddi-ddysg, yn rhagrithiol, yn anniddorol ei sgyrsiau – dim ond am dir, tywydd, gwartheg, defaid a moch . . . Cwyno'n barhaus am hin anffafriol a phrisiau gwael . . . Fy hil, a oedd ar y pryd yn gwastatáu'r cloddiau, yn dechrau rhoi ieir mewn carcharau cyfyng a chwistrellu gwenwynau dros y tir. Ac wedi imi weld ac aros mewn tai trefol, modern, roedd gennyf gywilydd braidd o dŷ fferm hen-ffasiwn a blêr, ond perffaith lân, fy nghartref, efo'i furiau cerrig anwastad, tamp a'i ddistiau derw ceimion. Pwnc arall o ddoniolwch i ddynion Manweb oedd diffyg carthffosiaeth yng nghefn gwlad, gan awgrymu fod yn rhaid inni fynd i waelod yr ardd neu i'r domen dail. Ac wedi imi fod mor wirion â dweud fy mod i'n canu'r harmoniwm yn Smyrna weithiau, haerent mai hynny oedd yn gyfrifol am dywydd stormus a daeargrynfâu!

Condemniwn y gymdeithas y'm magwyd ynddi, am fy ngwendidau fy hunan mae'n debyg, a chryfhawyd y teimladau hynny gan agwedd fy nghydweithwyr. Teimlwn yn annigonol ac israddol, yn edifarhaus am na fuaswn wedi gwneud gwell ymdrech yn yr ysgol, ac wedi symud i Fotwnnog pan gefais gyfle yn lle diogi yn Ysgol Fron Deg. Prynais lyfrau ail law ar fathemateg a chemeg yn y farchnad a fyddai ar Stryd Fawr, Bangor. Hefyd set o lyfrau am drydan, newydd sbon am £15, trwy i ryw werthwr slic o'r *Caxton Press* alw yn fy ngwaith a'm perswadio i arwyddo'r archeb. Ymunais â dosbarth ysgol nos hefyd, a dechrau astudio o ddifri. A chan nad oedd gennyf yr un ffrind ym Mangor ar y cychwyn, na chymaint o atyniadau â Phen Llŷn, ymdrechwn i wella fy nysg am rai oriau bob nos.

Braint i mi wrth weithio efo Manweb oedd dod i adnabod J. O. Williams o Fethesda, un o awduron *Llyfr Mawr y Plant*, a oedd yn beiriannydd yno. Cymeriad diddorol iawn a roddodd wersi adrodd imi am gyfnod.

Trafnidiaeth

Synnaf heddiw pa mor fyr yr ymddengys y daith rhwng Bangor a Llangïan. Pan ddechreuais weithio efo Manweb roedd yn drafferthus ac yn llawn antur. Doedd gennym ni ddim car, mwy na'r rhan fwyaf o deuluoedd Llŷn bryd hynny. Ar y cychwyn dibynnwn ar garedigrwydd cymdogion, neu ar logi Tacsi George. Chweugain i Bwllheli i ddal bws chwech ar nos Sul, a hynny wedyn i ddod yn ôl ar nos Wener. Roedd trafaelio'n gostus ond yn werth pob dimai.

Wedi cyflawni'r ddefod benwythnosol o fynd a dod am rai misoedd, penderfynwyd prynu car, *Austin Seven 1939*, gan John Gruffydd, Bodwrog, Llanbedrog, a oedd yn briod â hanner chwaer fy nain. Cofiaf mai dim ond 19,000 milltir oedd ar y cloc, ac mai £250 a dalwyd amdano, a sicrhaodd John Gruffydd ni fod y cerbyd yn fargen am hynny.

Gwyddwn fod prynu'r cerbyd ar y gweill, ond syndod mawr i mi un nos Wener wedi cyrraedd Pwllheli, gan ddisgwyl gweld Tacsi George yn fy nisgwyl, oedd gweld yr *Austin Seven* a Dad wrth y llyw. Gwyddwn eiriau'r hen emyn yn dda, ond doedd fy nhad daearol i erioed wedi bod wrth lyw car cyn y noson honno! Ar bwys trwydded i yrru beic modur, ymhell cyn fy mod i o gwmpas, cafodd un i yrru car, heb na gwers na phrawf.

Roedd rhyfyg yn un o nodweddion amlwg fy nhad nas etifeddais i, i'r un graddau beth bynnag. Ac felly'r noson honno, sy'n fy atgoffa o arwyddair un o gatrodau'r Fyddin Brydeinig – *'He who dares wins.'* Wedi crensian y cocos gêr amryw weithiau, a bron grafu'r clawdd o leiaf deirgwaith, cyrhaeddwyd adref heb unrhyw niwed, ond â'm nerfau i'n sitrach.

Cryfhaodd dawn dreifio fy nhad o fewn ychydig wythnosau, ond roedd y profiad cyntaf enbyd wedi gadael ei ôl arnaf i. Gan deimlo y gallwn i fod yn llawer gwell gyrrwr nag ef, roeddwn yn awyddus iawn i gael dipyn o ymarfer. Ond y tro cyntaf imi ymgeisio mi wnes stwnsh, yn llythrennol.

Roedd y cerbyd bach du, gyda sglein polish newydd Mam arno, yn gorffwyso'n dawel yn yr hoewal, cwt o furiau cerrig, a oedd â thalcen y tŷ yn un ohonynt. Yn ei phen pellaf o'r drws llydan roedd dwsinau o sacheidiau o datw i'w gwerthu, a mwy na digon o le i'r *Austin* hefyd. Gyda'r drws yn agored eisteddais yn sedd gyfyng y gyrrwr i gael teimlad y pedalau, y ffon newid gêr, a'r brêc llaw. Roeddwn yn deall pwrpas popeth yn barod, o fod wedi sylwi ar eraill yn gyrru ceir dros y blynyddoedd, ac yn deall egwyddorion mecanyddol cerbyd yn eithaf da.

Pan deimlais yn ddigon cyfarwydd â lleoliad pethau, taniais yr injan a refio dipyn iddi gynhesu. Yna pwyso'r clyts a rhoi'r ffon gêr yn y safle i fynd yn ôl mi dybiwn. Refio dipyn mwy, a chodi'r clyts wrth ollwng y brêc llaw fel y dylid. Cynhyrfais pan symudodd y car ymlaen yn lle yn ôl a cheisiais roi fy nhroed ar bedal y brêc. Wn i ddim yn iawn beth a ddigwyddodd wedyn, ond y canlyniad fu i'r cerbyd saethu yn ei flaen yn erbyn y sacheidiau tatw nes plygu'r bympar, yr un pryd a gwneud dipyn o fwtrin. Sythais y bympar cyn i neb ei weld, efo gordd, a hyd y gwn i chwynodd neb o gwsmeriaid y tatw. Ar ôl y wers gyntaf, hallt honno, trwy ddyfalbarhad dysgais yrru car fy hunan, heb wers gan neb, trwy ymarfer pob symudiad ar fuarth y fferm a'r ffordd rhwng y tŷ a'r Giât-lôn, ac astudio *Côd y Ffordd Fawr.*

Ddiwrnod neu ddau wedi fy mhen-blwydd yn ddwy ar bymtheg roedd fy mhrawf ym Mhwllheli, a hynny heb imi yrru car ar ffordd gyhoeddus tan y diwrnod hwnnw. Daeth Mam gyda mi fel gyrrwr profiadol a Nain fel pasenjer i Bwllheli erbyn naw o'r gloch y bore, gyda'r bwriad, os byddwn i'n llwyddo, i Mam fynd adref ar y bws a Nain a finnau fentro i Lanllyfni am y diwrnod. Sôn am densiwn. Roedd Mam wedi llwyddo ar ei hymgais gyntaf, a minnau'n awyddus i ddangos mod i cystal os nad gwell na hi.

Cofiaf yn dda am helynt Mam yn cael gwersi gan Dewyrth Rhydwen, gŵr Anti Sali, chwaer fy nhad. Roedd Rhydwen gyda'r caredicaf fyw, ond dipyn yn wyllt ei dymer, ac yn datgan hynny trwy ddefnyddio ansoddeiriau na chymeradwyai fy nain; fel ar ôl i Mam dramgwyddo wrth yrru'r car unwaith, meddai – 'I be ddiawl gwnest ti hynna, Lisi?'

Doedd gan Mam fawr o syniad am egwyddorion pethau mecanyddol, a doedd hi erioed wedi ceisio reidio beic, ond medrai ddysgu trwy ddynwared, a thrwy'r ddawn honno y llwyddodd i yrru car. Eisteddwn yn y sedd ôl yn ystod un o'i gwersi efo Rhydwen. Wrth yrru i fyny gallt Mur Poeth, Mynytho, lle byddai giât wen tua hanner y ffordd i fyny, cyn adeiladu'r stad o dai sydd yno heddiw, meddai Mam, 'O dyna fi wedi anghofio newid gêr gyferbyn â'r giât wen.' Ar ôl ymarfer ganwaith ar daith wybyddus y prawf gyrru, ymfalchïai yn ei llwyddiant ar ei hymgais gyntaf.

Felly, yng nghysgod llwyddiant anrhydeddus Mam yr es i'm prawf.

Roeddwn yn nerfus, mi gyfaddefaf, a gwn imi wneud smonach ohoni fwy nag unwaith; yn wir, rhestrodd yr arholwr fy ffaeleddau i'r fath raddau nes imi golli pob gobaith. Ond, ar ddiwedd ei bregeth, estynnodd dystysgrif o'i gês a'i harwyddo. Trwydded imi fynd â Nain i Lanllyfni a chadw fy hunan-barch.

Golygai hwylustod yr *Austin Seven* y gallwn drafaelio i Fangor ar fore Llun ar y trên yn hytrach nag ar fwsiau trafferthus nos Sul. Yr unig anfantais oedd fod y trên yn gadael Pwllheli am chwech o'r gloch y bore, a olygai adael Tyncae tua hanner awr wedi pump. Yn arferol deuai Mam a Nain i'm danfon i Bwllheli, a'r car bach yn mynd fel wats y rhan fwyaf o'r amser dros bedair blynedd. Y ddau dro y cawsom drafferth, arnom ni yr oedd y bai, arnaf fi unwaith ac ar fy nhad y tro arall. Ar dywydd rhewllyd weithiau rhoddai Dad sach dros injan y car bach o dan y bonet, cyn y defnyddid gwrthrewydd mewn ceir. Roedd ef wedi'n rhybuddio'r noson cynt i gofio tynnu'r sach cyn cychwyn yr injan. Fy esgus i yw fod cyn hanner awr wedi pump yn rhy gynnar i allu cofio popeth. P'run bynnag, fi gychwynnodd y car yn y bore, a hynny heb gofio affliw o ddim am y sach, nes imi glywed sgrech fel cathod yn cyplysu. Codais y bonet a gwelais ganlyniad f'esgeulustod – y sach wedi'i sgriwio o dan y ffanbelt. Yn wyrthiol doedd dim wedi malu, a gellais ryddhau'r sach a dal y trên.

Yr eildro y bu trafferth rhedodd y car allan o betrol wrth groesffordd Glyn-y-Weddw, Llanbedrog, er bod Mam yn haeru fod o leiaf ddau alwyn ynddo brynhawn Sadwrn, ac na fu allan o'r hoewal er hynny. Wedi aros ar ochr y ffordd i archwilio, clywsom aroglau petrol cryf. Codais y bonet a gweld fod llyn o'r tanwydd peryglus mewn pant o dan yr injan. Y troseddwr y tro hwn oedd fy nhad, a'r dystiolaeth yn amlwg ar ben yr injan – siswrn, a sgriw fechan a ddylai fod yng ngwaelod y pwmp petrol. Hebddi roedd y petrol oll wedi'i chwistrellu allan. Y rhyfeddod mwyaf oedd fod y sgriw heb syrthio ar y ffordd. Rhoddais hi yn ei lle efo help y siswrn yr oedd Dad wedi'i ddefnyddio i'w thynnu, mae'n rhaid. Yna, dyma ni'n cymryd siawns o wthio'r car i ben yr allt nes yn ei wib iddo gyrraedd fferm Crugan lle roedd golau. Cawsom betrol a chyrraedd gorsaf Chwilog o flaen y trên. Doedd hynny ddim yn anodd gan fod arhosiad o hanner awr o leiaf yn Afon Wen. Wnes i ddim holi gormod am sut le gafodd fy nhad druan wedi i'r merched gyrraedd adref, ond gallaf faddau iddo'n hawdd bellach wrth gofio pa mor brysur a fyddai bob dydd yn cadw'r fferm i redeg heb sôn am y car.

Prawf arall

A'm diwygiad addysgol yn newydd, a'm teimlad o israddoldeb ar ei ddyfnaf, cefais brofiad o'm denu i barlwr serch am y tro cyntaf wedi imi dyfu'n llanc, yn ddwy ar bymtheg oed. Er mai drifftio'n ddifeddwl a wnes i faes magnetig y ferch arbennig, a oedd o leiaf ddwy flynedd yn hŷn na fi, syrthiais mewn cariad â hi, a hithau efo minnau ar y cychwyn efallai. Ond yn fuan, oherwydd f'anaeddfedrwydd a'm diffyg hunanhyder, a achosai imi ymddangos yn berson swil ac anniddorol iawn, mae'n siŵr, yn actio rhan yn lle bod yn fi fy hun, yn ddealladwy cafodd y ferch lond bol arna i a diweddu'r berthynas fer. Profiad a'm syfrdanodd ar y pryd, ac sy'n ddiddorol mi gredaf, o safbwynt dysgeidiaeth y seicolegydd enwog Alfred Adler, a honnai y gall teimlad o israddoldeb neu siom sbarduno person i lwyddiant. Heb os, newidiodd yr achlysur hwnnw gwrs fy mywyd i trwy danio fy mhenderfyniad i drechu fy nheimladau o fethiant.

Yn lle'r ymateb mwy seicolegol iach o amddiffyn fy ego a dweud 'Twll 'i thin hi, mae 'na ddigon o genod delach ym Mangor, Pen Llŷn a Sir Fôn', p'run a oedd hynny'n wir ai peidio, beth a ddigwyddodd oedd imi droi'r ynni a oedd yn gysylltiedig â'r berthynas efo'r ferch i gyfeiriad addysg, gyda'r gobaith is-ymwybodol o adennill ei ffafr ryw ddydd neu o leiaf brofi iddi wneud clamp o gamgymeriad.

Er na newidiodd yr eneth ei barn amdanaf hyd y gwn i, mae fy niolch yn aruthrol iddi, am iddi'n hollol ddamweiniol newid cyfeiriad fy mywyd er gwell.

Oed dall

Ychydig fisoedd wedi imi ddechrau fy mhrentisiaeth efo Manweb daeth geneth ifanc landeg o Lanfairfechan yn glarc i'r adran. Hoffais Heulwen ar yr olwg gyntaf, a chyfaddefaf imi fod yn siomedig pan ddeallais fod ganddi hi gariad ers rhai blynyddoedd. Roedd hynny'n ddealladwy imi, gan ei bod bum mlynedd yn hŷn na fi.

Dechreuodd sôn am ei chwaer, Awena, a oedd ddwy flynedd yn ieuengach na hi. Ac o dipyn i beth deuai â negeseuon imi oddi wrth ei chwaer, nad oeddwn wedi taro llygaid arni hyd y gwyddwn. Cariai Heulwen f'atebion dibwys innau'n ôl adref. Dwysaodd y nodiadau, gan fod yn fwyfwy awgrymog, ac un yn dweud y rhoddai hi'r bara bob ochr pe rhoddwn i jam yn y canol, i wneud brechdan. Wyddwn i ddim yn hollol beth a olygai hyn, ond roedd y ddelwedd o agosrwydd a melyster yn glir imi hyd yn oed yr amser hwnnw. Ymatebais yn y diwedd, er fy swildod. Trefnodd Heulwen i Awena a minnau siarad ar y ffôn rhwng ein swyddfeydd. Swniai yn eneth hoffus iawn, a mentrais ofyn, 'Fasach chi'n licio dŵad allan efo fi ryw gyda'r nos wsnos nesa?' Dywedodd y buasai, holais innau i ble yr hoffai inni fynd, i'r hyn yr atebodd yn ddistaw, wylaidd, 'Dwi 'im yn gwbod.' Gofynnais, pan oeddwn gartref dros y Sul, am fenthyg yr *Austin Seven* i fynd i Fangor yr wythnos ddilynol. Caniatawyd fy nghais, ar ôl dipyn o herian, a chadarnhawyd y trefniadau (gyda help parod Heulwen) yn ein gwaith ddydd Llun, ar gyfer y nos Fawrth - saith o'r gloch wrth yr hen gapel, nad oedd ymhell o gartref Awena. Rhoddais JC 4320 ar ddarn o bapur i Heulwen fynd i'w chwaer, fel y gallai adnabod y cerbyd o leiaf.

Cyrhaeddais lecyn arfaethedig ein hoed cyntaf ychydig yn fuan. Eisteddais ar y wal yn bryderus braidd, wrth ddisgwyl amdani ac yn fwy felly gan nad oedwn yn ei hadnabod. Ymhen sbel, gwelais eneth dal yn dod i'm cyfeiriad gyda sigl pen nodweddiadol wrth iddi gerdded, nas anghofiaf. Rhag ofn imi gyfarch merch anghywir a chreu embaras, ysmaliais nad oeddwn wedi sylwi arni nes iddi fod o fewn degllath, yna trois a chyfarfu ein llygaid am y tro cyntaf. 'Chi 'di Elwyn ia?' 'Chi 'di Awena?' oedd ein cyd-gyfarchiad, nad oedd angen atebiad. Hoffais ei gwedd a'i gwallt, a'i hannog i eistedd wrth fy ochr ar sêt galed ffug-ledr brown yr *Austin* bach. Cyrhaeddais drosti'n ofalus gan egluro nad oedd y drws yn cau bob amser ar y glep gyntaf. Roedd hynny'n wir. Yna, ref i'r injan wnïo ac i ffwrdd â ni am Gonwy, tros yr hen bont grog gul, a throi i fyny'r dyffryn am Fetws-y-Coed. Damweiniol hollol oedd y ffordd a ddewisais, heb drefnu dim ymlaen llaw, ond credaf na allwn fod wedi dewis taith trwy wlad brydferthach na Dyffryn Conwy.

Tawedog oeddym ein dau ar y daith, mor brin o eiriau yn wir nes y cofiaf y rhan fwyaf ohonynt hyd heddiw. Holais hi am ei gwaith mewn swyddfa yswiriant ym Mangor, ac a fyddai hi'n mynd i eglwys neu gapel. Atebodd y byddai'n mynd i Gapel Horeb, Llanfairfechan; ond ni wyddwn nes i rai blynyddoedd fynd heibio mai Wili Llanfairfechan, cefnder fy nain, oedd ei gweinidog ac mai ef a'i bedyddiodd. Tydi'r byd yn fychan? Ac nid dyna'r unig gyd-ddigwyddiad rhyfeddol ychwaith, nes imi amau ar un adeg fod ffawd yn mynnu ymyrryd. Mae'n debyg fy mod wedi sôn am fy nghysylltiadau teuluol â Llanllyfni yn ystod ein gwibdaith y noson honno, gan y cofiaf Awena yn dweud eu bod yn aml, yn y swyddfa lle gweithiai, yn cymysgu rhwng y pentref hwnnw a Llanfyllin.

Ymddiheuraf heddiw iddi am fod yn gwmni mor sych, ond wir, doeddwn i ddim felly yn fy nghynefin. Fy swildod a'm diffyg profiad oedd yn gyfrifol am fy mod yn actio rhan rywsut, yn hytrach na bod yn fi fy hun. Er bod fy ysgolheictod yn brin, roedd gennyf syniadau dwfn, profiad o bysgota a saethu, gwybodaeth go lew o lenyddiaeth Gymraeg, ac wedi gwneud melin wynt i gynhyrchu trydan i'm cartref, a gosod system deliffon rhyngddo a Thanrallt. Ond efallai na fuasai ganddi ddiddordeb yn y fath bethau, hyd yn oed petaswn i wedi meddwl sôn wrthi. P'run bynnag, wnes i ddim.

Troi i'r dde yn y Betws ac aros wrth y Rhaeadr Ewynnol. Rhaeadr ac ewyn arni wrth gwrs a olyga'r enw, nid *Swallow* ffwlcyn *Falls.* Eisteddem yn y car heb gyffwrdd, a minnau yn ysu am redeg fy mysedd drwy'i gwallt, o liw ŷd aeddfed, a chusanu mefus ei gwefusau. Ond fentrais i ddim.Wn i ddim os mai effaith y rhaeadr oedd yn gyfrifol ond ymesgusododd i fynd i 'olchi'i dwylo' ar draws y ffordd. Ymddangosodd o'r ogof goncrid ar ôl sbel go hir, efallai fod yno giw, a chroesi ataf i'r car. Ar ôl iddi eistedd wrth fy ochr, bu megis moment ddisgwylgar, pryd y dylwn fod wedi ymateb gan ei hanwylo fel yr oeddwn eisiau, ond wnes i ddim.

Yn hytrach, troi'r allwedd, a'r injan yn ymateb efo pesychiad neu ddau cyn cychwyn; ac i ffwrdd â ni, yr un mor dawedog ar y ffordd yn ôl hyd ochr arall afon Conwy. Nesu at Ddolgarrog, a finnau wrth weld y meini mawrion yn sôn am drychineb yr argae'n torri a boddi'r pentref yn ugeiniau cynnar y ganrif. Pwnc hollol addas, mae'n amlwg, i lonni tro cyntaf pâr ifanc efo'i gilydd, ond roedd o'n well na mudandod llwyr. Ac roedd 'na ddiwedd rhamantus i'r stori, gan i Mr Evans, a fu'n berson Llangïan unwaith, achub geneth o ruthr y dŵr a'i phriodi. Hanes cyffrous a allai fod yn destun ffilm.

Trwy Gaer Rhun fel ffluwch, heibio'r Groes, trwy'r twll yn wal tref Conwy, a dim ond ambell air uwchben grwndi'r *Austin Seven.* Yna gadael Awena heb wasgu'i llaw na chusan wrth yr hen gapel, y man lle cyfarfûm ddwyawr yn gynharach, ond nid heb addo cyfarfod am yr eildro y nos Iau ddilynol. Yna dim ond 'ta ta', codi dwylo'n swta, a'r bocs sebon yn siglo mynd am Borthaethwy a hedfan dros y Fenai y noson heulog honno.

Roeddwn wedi gwerthfawrogi'r olygfa trwy ffenestr f'ystafell wely cyn hynny, ond bore drannoeth ymddangosai mynyddoedd Eryri dan heulwen Mai yn filwaith tlysach na chynt. Gwelwn hefyd y telpyn craig a fyddai bryd hynny ar y grib uwchlaw chwarel Penmaenmawr, a roddai imi amcan o leoliad cartref y ferch yr oeddwn newydd syrthio mewn cariad â hi. Rhaid fy mod yn disgleirio o lawenydd mewnol, gan i amryw sylwi fy mod i'n edrych yn wahanol.

Roeddwn yn dyheu am i'r dydd Mercher frysio heibio, ac yn cyfri'r oriau ar y dydd Iau. Ar drawiad pump, i ffwrdd â fi i'r Borth; te brysiog, 'molchi a newid, a rhoi mwy nag arfer o olew ar fy ngwallt, i geisio dal yr un cudyn ystyfnig hwnnw i lawr. I'r bocs sebon ac i ffwrdd â fi wedyn am Lanfairfechan, yn dipyn mwy mentrus na'r tro cyntaf – disgwyl Awena ar y ffordd ger ei chartref.

Cyn hir gwelais ei hadlewyrchiad yn y drych. Agorais y drws a'i gwahodd i'r car wrth fy ochr, efo dim mwy na 'helô'. Gwisgai sgert lwyd bletiog, a blows wen gyda chardigan binc trosti. Teimlwn ei bod yn rhy ddel i mi, nad oeddwn yn ei haeddu'n gariad, efo'm gwallt sticio i fyny a'm dannedd bylchog. Awydd cryf i'w chroesawu â chusan, ond. . . ymatal eto, mor agos i'w chartref. Cychwyn heb gyffyrddiad, am Gonwy. Rhamant ar bedair olwyn i gyfeiliant tincial yr handlen gychwyn, a oedd yn nodweddiadol o bob *Austin Seven*.

Teimlwn yn ymesgusodol am fychander y cerbyd, yn enwedig pan soniodd hi mai *Austin Shearline* (*supercar* y cyfnod) oedd car ei breuddwydion. Anfwriadol rwy'n siŵr, ond fy mod i yn or-sensitif, ac yn hanner addoli'r Ddwynwen bert erbyn hynny. Bychan neu beidio, dygodd ei saith ceffyl ni i Landudno. Parcio wrth y pier. Ymuno â'r dyrfa o ymwelwyr i gerdded ar hyd y Prom, a'r gwylanod beiddgar yn hofran yn beryglus o agos i'n pennau. Er yn dreth ar amynedd dyn, alla i ddim meddwl bellach am wylan heb gofio cwpled hyfryd Dewi Emrys iddi – 'Hed dros y berth dan chwerthin / A miri'r môr ar ei min'. O ie, ar y Prom yn Llandudno yr oedd Awena a minnau, yng nghanol pobl oedd yn ymlacio a mwynhau'u hunain, a finnau yn methu ymollwng i'r awyrgylch, gan roi ffug-argraff mai rhyw surbwch oeddwn.

Y peth nesaf a gofiaf o'r noson honno oedd teithio'n ôl am Lanfairfechan. Wedi cyrraedd Morfa Conwy, dipyn nes at Benmaenmawr na'r maes carafanau ar yr hen A55, dyma fi'n ymwroli a thynnu oddi ar y ffordd i'r gilfach, o dan dalcen Mynydd Conwy. Ac yno yn niddosrwydd yr *Austin*, a oedd yn llawn digon mawr y noson honno, dyma'r rhew oedd rhyngom yn toddi. Yn unfryd troesom a chofleidio'n gilydd, gan rannu anadl am y tro cyntaf. A chan deimlo gwead mân llawes ei chardigan binc o dan fy mysedd, a'i hwyneb cynnes a'i gwallt yn fy erbyn yr arhosom am awr neu fwy, nad oedd ond ennyd fer, dan swyngyfaredd serch, nes gweld yr haul yn noswylio'n goch ym Mhenmon. Ac wrth edrych i fyny i'r mynydd, dyma Awena yn dweud geiriau a gofiaf bob tro wrth fynd heibio'r fan, 'Mae'r clogwyn acw'n edrych fel llew mawr yn gorwedd ar y mynydd i edrych ar ein hôl ni.'

Y llew ar fynydd Conwy.

Dyma'r achlysur a fu'n gyfrifol am imi sgwennu'r gerdd hon wedi cerdded ar Forfa Conwy fy hunan dipyn dros ugain mlynedd yn ddiweddarach:

MAP Y MÔR

Pan fyddo'r haul ym Mhenmon
yn rhoi ei ben i lawr
a'r nos yn taenu gwrthban
tros war y Gogarth Fawr,
mi glywaf sibrwd yn y brwyn
fel adlais pell o'r gwanwyn mwyn.

Ein gwanwyn byr; mi gofiaf
mor wyrdd oedd dail y coed;
roedd blodau ar y twyni
nas gwelswn cynt erioed,
a gwelais sêr yng ngolau dydd
cyn cronni o'r cymylau prudd.

Mae'r llew ar fynydd Conwy
fu'n gwylio drosom ni
yn aros megis cofeb,
ac olion ar y lli
fel map o aur ym min yr hwyr;
rhag ofn i mi anghofio'n llwyr. (1971)

Y noson risial honno

Braint arbennig ac eithriad oedd cael benthyg yr *Austin Seven*. Yr wythnos wedyn rhaid oedd dibynnu ar gwmni Crosville, a thraed. Y man cyfarfod a ddewiswyd, diolch i Awena, gan nad oeddwn i ddim wedi clywed am y lle cyn hynny, oedd Aber, rhwng Bangor a Llanfairfechan. Cyrhaeddais ar fws o Fangor, a hithau o'r cyfeiriad arall yn fuan wedyn, gyda'r bwriad o gerdded i fyny at y Rhaeadr Fawr.

Noson fendigedig a hud ym murmur yr afon ac yn sisial yr awel. Y llwybr serth drwy'r coed, ar ôl croesi'r bompren sigledig yn esgus i afael . . . law yn llaw am y tro cyntaf . . . a'r chwys yn glynu ein bysedd wrth ei gilydd.

Wedi cyrraedd rhan letach o'r llwybr, datblygu o'r gafael llac i gerdded gyda'n breichiau ynghlwm, fel y byddai cariadon go iawn ym Mhwllheli ar nos Sadwrn, ac nad oeddwn i wedi'i brofi cyn hynny. Teimlwn ei breichiau noeth a'i garddyrnau main, a'i wats ar fy meingefn, a meddwais ar win serch am y tro cyntaf erioed.

Cerddem yn araf a thrwsgl, ein dau wedi'n clwyfo gan saeth Ciwpid. Erys yn fy nghof amryw o ddarluniau tlws, na allaf eu disgrifio gystal mewn rhyddiaith ag mewn llinellau o farddoniaeth. Dyna pam y dyfeisiwyd barddoniaeth, mae'n debyg.

Cerdded ar lan Anafon y noson ramantus honno – 'Anafon serch, afon swyn, / yn ferw i mi a'r forwyn.' Sefyll o dan goed wrth lyn yn yr afon a gweld darlun o'm cariad ynddo – 'Y gorlif o dan gwrlid / a llun fy rhosyn yn wrid.'

‘Odyn odiaeth’ Rhaeadr Aber.

Canai ehedydd anweledig yn uchelion yr asur, a ninnau yno gydag o – 'Ni ein dau ar derfyn dydd / ar adain gyda'r hedydd.'

Bryd hynny roedd adfail, ger y bwthyn (lle mae bellach arddangosfa), gyda choed wedi tyfu trwy gerrig gwasgaredig ei furiau. Yn dioddef o glefyd serch, teimlwn y gallwn fyw yno am byth efo'r ferch – 'heb raid dim, dim ond ni'n dau, / o'r byd yn glyd; llofft heb glo, / a grisiau'r graig yn groeso.'

Ni fynegais hynny i Awena, gan mor llethol oedd llyffethair fy swildod. Ys gwn i a deimlai hithau'r un wefr â minnau ar *y* 'noson risial honno'.

Ond er cloffni ein cerddediad clòs, daliasom i ddringo'n araf, nes clywed hisian y rhaeadr yn y pellter, a gweld y sgri, fry ar Farian Rhaeadr Fawr, yn dweud stori'r mynydd o oesau'r rhew a chyn hynny – 'O'r nef yn llyfr hynafol, / llif o sgri fel inc ar sgrôl.'

Ac yna, cyrraedd trum y llwybr a . . . Rhaeadr Aber yn ei gogoniant, y tro cyntaf imi ei gweld. Roedd tarth y pistyll llaethog yn enfysu'r heulwen, a'i wlithlaw yn gwlychu ein hwynebau – 'Dan ddibyn, odyn odiaeth, / galcha'r llyn dan glychau'r llaeth.'

Dechreusom neidio'n ysgafndroed, ryfygus, o ynys i ynys, a ffurfia'r meini mawrion sydd yng nghanol y llifeiriant gwyllt o hyd. Yna, yr achlysur a fu'n gyfrifol am un o'r darluniau tlysaf a erys yn albwm fy nghof, a wna i'm calon gyflymu'r funud hon. Er fod hanner canrif wedi llifo heibio gwelaf Awena o hyd yn eistedd ar faen uwch fy mhen yn cribo ei gwallt haidd-felyn, oedd mor donnog â'r llyn gerllaw. 'Y gwawl o gytser ei gwallt - / Orion tw' arna i'n tywallt.'

Nid tw' gwallt yn unig a olygir wrth gwrs, ond hefyd dwf cariad tanbaid a deimlwn i bryd hynny yn tasgu trosof.

Y cwrddyd a'r cerdded ar fwsog

Er disgyn o Raeadr Aber y noson honno, ddisgynnais i ddim o baradwys ledrith cariad cyntaf. Yn wir, edrychai'r byd yn wahanol, pobl yn gleniach, a lliwiau popeth yn fwy llachar. Mwynhawn yr herian diniwed gan fechgyn yr adran lle gweithiwn, gydag anogaeth Heulwen yn sicr, a ymhyfrydai yn ei llwyddiant yn hybu'r gyfeillach.

Parhaodd cyd-gerdded nosweithiol Awena a minnau, yn ei chynefin hi yn ddieithriad bron – ardaloedd Llanfairfechan a Phenmaenmawr.

Cofiaf ddisgyn o'r bws o Fangor wrth y groesffordd yn Llanfairfechan, pen Bryn-y-Neuadd o'r pentref, a cherdded i'w chyfarfod, yn cario fy nghôt law ar fy mraich, er ei bod yn ddechrau haf sych a'r haul yn tywynnu. Effaith Mam a Nain gartref mae'n debyg – 'Cymer di ofal o dy iechyd, 'ngwas bach i. Paid ti â gwlychu, a bod mewn dillad gwlybion, nac eistedd ar ddaear damp, rhag ofn iti gael crydcymalau.' Ddois i ddim dros y gor-ofal am iechyd, a oedd yn ffasiynol yn Llŷn, nes imi fynd i'r Fyddin. Pe byddai rhybuddion Mam a Nain yn wir, buaswn wedi marw yno o ryw adwyth difrifol o fewn pythefnos.

Adnabûm ei cherddediad o bell ar y ffordd unionsyth oherwydd ei symudiad arbennig. Brasgamu'n gyffrous a sgipio'r llathenni olaf wrth gyfarfod. Cusan, slei am ein bod ar stryd. Dal dwylo, gan siglo'n breichiau wrth gyd-gerdded, heb falio dim i ble.

Er imi fod wrth fy modd yn ei chwmni, tawedog oeddwn o hyd, fel petai rhyw lwmp yn fy ngwddw'n fy rhwystro rhag sgwrsio'n rhydd, naturiol. Achosai fy nhensiwn imi barablu'n wirion ar brydiau, gan fod yn edifar wedyn. Rhyw angerdd cloëdig yn gwthio geiriau di-synnwyr allan yn afreolus weithiau. Wnes i erioed fentro dweud wrthi'n blaen mewn geiriau fy mod i'n ei charu hi, oherwydd fy swildod, ond dywedodd y gafael a'r gusan dyner lawer, mi obeithiwn. Erys ein tro heibio Nant-y-Felin a thros y bont fechan, trwy goed Gorddinog, ar hyd glan y môr ac i Ddwygyfylchi, yn fyw yn fy nghof.

Mellten o allor torlan

Ddau dro arall cyfarfuom yn syth ar ôl darfod ein gwaith ym Mangor, fi o Manweb a hithau o'r swyddfa yswiriant ar y Stryd Fawr. Y tro cyntaf, alla i ddim cofio fawr o'n trefniadau, nac am gael bwyd cyn mynd am dro, ond mi gofiaf yn dda i ble'r aethom ni – i Borth Penrhyn, lle mae'r bont dros afon Cegin. Ar hyd pen y mur ger y bont mae llechi trwchus, ac ar un ohonynt, er y noson honno, mae enwau'r ddau ohonom wedi'u cerfio.

Yno, wrth syllu i'r llyn yn yr afon islaw'r bont, gwelsom saeth liwgar glas-y-dorlan yn ei groesi. Yr unig un a welais erioed. Wedyn bu inni gerdded, ar y noswaith boeth honno, a'n breichiau noethion eilwaith yn cyffwrdd ac ymblethu'n gynnes, ar hyd llwybr glan yr afon i gyfeiriad Maesgeirchen.

Drwy'r adwy i dir mwyar

Yr ail dro inni gyfarfod ar ôl oriau gwaith ym Mangor doedd y gynghanedd ddim mor berffaith. Dechrau'r dirywiad.

Cyfarfod wrth y cloc ar y Stryd Fawr, a minnau'n cynnig ein bod yn mynd am fwyd i gaffi Robert Roberts. Hwn oedd y tro cyntaf erioed imi fynd i gaffi efo geneth ifanc. Mae'n siŵr imi fod yn hynod o drwsgwl, yn od fy ymarweddiad oherwydd fy niffyg hyder. Estynnais y fwydlen iddi, ac ar ôl sbel bu trafodaeth debyg i – 'Be 'da chi isio?' . . . 'O dwn i ddim, be 'da chi?' Y diwedd fu inni setlo ar *beans on toast* ein dau, a chwpaned o de. Llyncu hwnnw'n frysiog braidd, a'r tost cyn syched â'n sgwrs. Cael y bil, hi yn mynnu talu'i siâr, a finnau'n gwrthod, mynnu talu'r cyfan. Yna i lawr i'r Garth ac am dro ar hyd Pier Bangor. Agosrwydd clyd a chusan neu ddwy, neu dair. . . wrth gerdded, ac eistedd ar un o seti'r cytiau yn y pen pellaf, wedi'r daith fwyn, fwythus, bron hanner ffordd i Fôn dros Fenai lonydd.

Ymhen sbel daeth giang o fechgyn garw'u golwg a stwrllyd iawn heibio, a dechrau cyfeirio sylwadau anweddus atom, gan fy nghynghori'n wawdlyd sut i drin merched, a dweud y dylid archwilio fy mhen i pe na lwyddwn i sathru'r ferch y noson honno.

Wn i ddim sut arall y gallwn fod wedi ymateb, gan na fûm i erioed yn feistr ar hunanamddiffyniad, ond trwy anwybyddu'r sylwadau a symud oddi yno. Dyna beth a wnaethom – brysio'n ôl ar hyd estyll craciog y Pier, i fyny Lôn-y-Garth-Uchaf a thrwy'r giât werdd at yr hen wersyll Rhufeinig – *Roman Camp* i'r Bangoriaid. Eisteddasom yno, a lled-orwedd yn y gwair tal wrth lwyn o goed am ysbaid, cyn dod yn ôl i lawr.

Teimlwn gwmwl tywyll o anniddigrwydd trosom erbyn hynny, nas deallwn. Aethom i lawr at lan y dŵr ger Gorad y Git a cherdded ar y traeth caregog, mwdlyd. Gwisgai Awena siwt lwyd dwt, efo tlws aur ar ffurf brigyn o uchelwydd gyda dwy berl arno, blows wen ac esgidiau coch. Hynod o ddel, ond anaddas iawn, o edrych yn ôl, i grwydro llwybrau Siliwen. Wn i ddim eto beth oedd gan y ferch annwyl mewn golwg y noson honno, a oedd yn heulog braf nes i'r cymylau hel. Tywyllodd ein byd fwy fyth pan sylweddolodd yn hwyrach fod mwd ar ei hesgidiau, ac y byddai rhaid brysio i ddal y bws am Lanfairfechan. Wedi dipyn o ras chwyslyd i lawr Lôn Serch (Love Lane) cyraeddasom yr orsaf fysiau mewn pryd, a diflannodd i'r bws yn swta, heb saib na sws.

Go brin imi wneud hynny, ond mi ddylwn fod wedi ymddiheuro am ei harwain i'r fath le anghysbell, ond nid am golli fy synnwyr o amser chwaith, gan mai ei bai hi oedd hynny. Yr achlysur hwnnw a barodd imi, rai blynyddoedd wedyn, sgwennu'r gerdd ar ôl ymweliad meddylgar â'r fan:

GORAD Y GIT

Ple mae fy nghariad heno?
Mae'r gwanwyn yn y coed
a gwyrthiau'r Fenai lonydd
mor amlwg ag erioed.

Mi glywa'r môr yn ateb
cwestiynau awel Mai
a'r wylan yn cusanu
y llanw wedi'r trai.

Blodau sydd eto'n agor
a llen y blagur ir
yn cau am noethni'r llwyni
ar ôl y gaeaf hir.

Ys gwn i ddaeth Awena
mewn hiraeth dwys am dro,
a gweld y tonnau'n torri
ar ymyl sych y gro.

Os crwydrodd tros y gwymon
i lawr i gwr y lli
a ddaeth un dafn o'r heli
o gil ei llygad hi? (1971)

Gorad y Git.

O brysgoed yn rhai brysgar

Ar ôl noson y *beans*, y mwd, a chwys y brys am y bws, fu'r awyrgylch rhyngom ddim mor gydnaws â chynt. Cyd-ddigwyddiad efallai, a'i bod wedi cyfarfod un a hoffai'n well erbyn hynny. Neu iddi benderfynu ei bod wedi cael digon ar lo trwsgl, di-syniad a di-sgwrs o ben draw Llŷn ac un a ddioddefai o gymhlethdod israddoldeb. Ni fyddwn yn ei beio hi o gwbl.

Ychydig cyn i'n perthynas oeri, derbyniais gerdyn post wedi'i gyfeirio ataf yn fy ngwaith. Ar ei ffrynt roedd llun cwpwl ifanc yn eistedd yn glòs ar fainc. Heb iddynt wybod roedd buwch wrth eu cefnau â'i ffroenau ddim ond ychydig fodfeddi o glust dde'r ferch, gyda'r sylw – *'Your breath smells like new mown hay.'* Cerdyn doniolwch digon derbyniol ar yr wyneb ond di-enw, ac ar ei gefn roedd neges atgas, wedi'i sgwennu yn union fel hyn – *'I hope you are aware of your dilema.'* Roedd dawn sillafu'r sawl a'i gyrrodd cyn wanned â f'un innau ar y pryd mae'n amlwg, a sylwais fod marc post lleol arno. Feddyliais i ddim tan y funud hon – tybed a dderbyniodd Awena hefyd nodyn di-enw o'r un ffynhonnell, a allai fod wedi achosi trallod iddi a gwyrdroi ei hagwedd tuag ataf?

P'run bynnag, parhaodd ein cyfarfodydd wythnosol am fis arall. Bellach, synhwyrwn belydredd ei hanfodlonrwydd, a achosai imi deimlo'n fwy annigonol na hyd yn oed cynt yn ei chwmni. Yn anffodus, roedd y pellhau wedi dwysáu fy nheimladau tuag ati, a hithau fel eilun pur o'm cyrraedd.

Roedd y cyfnod hwn mor gythryblus i'r ddau ohonom. Awena eisiau darfod, ond heb wybod sut, heb fy mrifo fwy nag oedd raid. Chwarae teg iddi. A minnau'n dal i ymladd i geisio adfer paradwys goll. Brwydr anobeithiol a achosai imi ymddwyn yn ynfytach fyth: ceisio creu argraff dda trwy ffug ddoniolwch, addo trip inni eto yn yr *Austin Seven*, a dweud fy mod yn bwriadu prynu car fy hunan. Roedd yn ffaith fy mod wedi ystyried hynny wythnosau ynghynt.

Erbyn hyn, heliai'r ferch, a fyddai cynt yn frwd inni gyfarfod, esgusion gwan i beidio â dod allan, fel bod yn rhaid iddi olchi'i gwallt. Gobeithiai y byddwn yn cymryd yr awgrym, mae'n debyg, a finnau ddim eisiau credu'r hyn a wyddwn. Mae ei geiriau awgrymog yn dal i ddiasbedain yn fy nghof. Pan soniais am gyfarfod y dydd Iau dilynol, ei hymateb oedd, 'Mi gawn ni weld sut y byddan ni'n sefyll.' A ninnau newydd rannu darn mawr o siocled! Fel pan geir cyfnewidiad tywydd yn aml, roedd anwadalwch o awelon oer a chynnes yn gymysg. Un gynnes a adawodd ddarlun hynod o dlws o'r cyfnod cymylog hwnnw, pryd y torrodd heulwen drwodd am sbel, oedd ein hymweliad â'r Henar. Wedi dringo'r allt uwchben Llanfairfechan i'r fferm, i weld cŵn defaid bychain yr oeddym. Hen ffermwr gwladaidd oedd Ifan, fel y'i cyflwynwyd imi, a'i debygrwydd i 'Nhad efallai yn gwneud imi deimlo'n gartrefol yno. Aeth Ifan Rhenar â ni i hen gwt mochyn gwag i weld y cŵn bach, a'u codi fesul un i Awena eu mwytho, a hithau wedyn yn eu trosglwyddo i'm breichiau innau. Credaf ei bod yn bwriadu cael un ohonynt ar ôl iddo dyfu dipyn, ond doeddwn i ddim o gwmpas i weld hynny.

Cau'r mwdwl â thynerwch

Daeth y diwedd pan oeddym ar lwybr mewn lle o'r enw Gwyllt yn Llanfairfechan. Dywedodd, mor annwyl ag y gellir dweud pethau o'r fath, 'Dw'i ddim isio mynd allan efo neb yn *serious* eto, ond gawn ni ddal i fod yn ffrindia yn cawn.' Roedd gollwng ei bom emosiynol yn rhyddhad iddi hi, mae'n debyg, ond fe'm rhoddodd i mewn cyflwr o syfrdandod llwyr, a barhaodd am rai dyddiau. Credaf iddi sylweddoli'r effaith ysgytwol arnaf, a brysio i geisio lleddfu'r dolur trwy bwysleisio eilwaith y byddem yn dal yn gyfeillion, gyda chroeso imi alw yn y swyddfa lle gweithiai unrhyw amser am baned.

Trodd fy syfrdandod yn fferdod ymhen sbel. Ni allwn deimlo fy nghoesau oddi tanaf ac nid oeddwn ond yn rhannol ymwybodol o'm hamgylchedd. Cofiaf gerdded i lawr y llwybr at y ffordd fawr gan wegian fel dyn meddw. Arhosodd Awena i ofalu amdanaf yn dyner iawn, nes daeth y bws i'm cipio allan o'i bywyd.

Enfys

Dadebru
Soniais am fy stad gatatonig bron pan es ar y bws i Fangor ac ymlaen i'r Borth ar y noson ryfedd honno – fferdod meddwl ac anghrediniaeth garedig, fel a ddaw i feirioli galar ar ôl colli un agos. Yn yr achos hwn, serch oedd wedi marw, a byddai geiriau Tudur Aled wedi bod yn addas iawn – 'Mae'r haf wedi marw hefyd'.

Cymerodd wythnos neu fwy imi ddadebru o'r cyflwr, a'r cyfamser yn enbyd braidd imi, yn enwedig dros y Sul cyntaf yn ôl yn Llŷn. Tra oeddwn allan yn saethu, yn ôl fy arfer, am ychydig o eiliadau yn unig cofiaf ystyried gwerth bywyd. Yn ffodus, roedd y cyfeillgarwch a deimlwn yn fy nghynefin yn ddigon i'm hachub. Hefyd ailddeffrôdd f'awydd i farddoni. Darganfûm fod datgan fy nheimladau ar ffurf barddoniaeth yn lleddfu loes fy meddwl, yn seicotherapi effeithiol iawn. Ysgrifennais y ddwy gerdd i Awena o fewn y pythefnos cyntaf, er na feiddiais eu hanfon iddi, rhag ymddangos yn fwy hurt na chynt yn ei golwg. Cyhoeddwyd un o'r ddwy yn *Y Cymro* rai blynyddoedd wedyn, fel y soniais yn gynharach, a rhyw ddiwrnod glawog mi fentraf i lyfrgell i chwilota amdani. Cywilyddiaf o'i darllen efallai, ond o leiaf, gwn iddi ddod o eigion tymhestlog fy nghalon. A chan gofio geiriau Wordsworth, dylai fod rhyw rinwedd ynddi: *'What is poetry if not the heart of man?'*

Mae gofid meddyliol yn gallu pylu'r synhwyrau, a thybiaf i hynny ddigwydd i mi hyd at fisoedd yn ddiweddarach. Bu bron iawn imi gael damwain wrth yrru'r *Austin Seven* i gyfeiriad Pwllheli o Fangor ar nos Wener dywyll a gwlyb iawn yr hydref canlynol. Mae'n amheus gen i a fyddai neb wedi rhoi eglurhad cywir am ei hachos. Ychydig cyn cyrraedd y Ffôr byddai tro go arw yn y ffordd fawr i'r chwith, gyda ffordd arall gul am Lwyndyrys yn fforchi i'r dde yno. Yng ngafl y fforch, rhwng y ddwy ffordd, yn syth ymlaen, roedd triongl o dir glas, lle roedd y noson honno dwmpath uchel o bolion teliffon newydd wedi'u gadael. Wrth imi yrru tuag atynt, a'm meddwl ymhell mae'n debyg, oherwydd fod y polion yn wlyb ddiferol, adlewyrchai goleuadau'r car arnynt. Credwn o ganlyniad fod y ffordd o darmac du yn mynd ymlaen yn syth i'r pellter yn hytrach na throi i'r chwith. Dim ond o fewn yr eiliadau diwethaf y sylweddolais, a throi gan arbed digwyddiad erchyll. Bu'r achlysur hwnnw'n wers imi, i geisio adennill rheolaeth ar fy myfyrdod ac ailafael mewn bywyd. Yn rhyfeddol, ar Ragfyr 26, 1975, yn yr un lle bron, chwilfriwiais fy *Lotus Elan +2*. Fy esgus oedd llithro ar fwd ar y ffordd, ond cyfaddefaf yma imi hefyd fod yn mwynhau fy ail lencyndod yn y cyfnod hwnnw, ac yn llawer mwy beiddgar nag yn yr un cyntaf.

Angor mewn storm

Byddai fy noddfa benwythnosol yn Llŷn yn lliniaru fy hiraeth, ond roedd wynebu'r dyddiau gwaith ym Manweb yn anodd. Un rheswm amlwg am hynny oedd fod chwaer fy nghyn-gariad yn dal i weithio yn yr un adran â mi. Cysurai Heulwen fi gan ddweud y newidiai Awena ei meddwl yn y dyfodol efallai, ac arhosodd yn wir gynhaliol imi dros y misoedd a'r blynyddoedd dilynol. Rheswm arall oedd fod rhai o'm cydweithwyr yn rhoi halen yn y briw trwy awgrymu'n wamal mai rhyw ddiffyg yn fy ngwrywdod oedd yn gyfrifol am derfyniad chwit y garwriaeth. Brifai sylwadau fel: 'Dyn odd yr hogan isio dim blydi crys.' a 'Dodd o ddim digon o stalwyn iddi siŵr dduw.'

Ym mis Medi cefais gyfle i fynychu'r Coleg Technegol (Caernarfonshire and Anglesey Technical Institute) ym Mangor; cael fy rhyddhau o'm gwaith am un diwrnod bob wythnos. Roedd yr amseru'n ddelfrydol i mi. Fy chwant am addysg, a oedd wedi dechrau mudlosgi cynt, yn ffaglu'n wenfflam yn sgil diffoddiad annhymig serch. Penderfynais gywiro fy niffygion, a gorchfygu fy nheimlad o israddoldeb, ac yn is-ymwybodol efallai brofi fy rhagoriaeth i'r ferch a edmygwn.

Rhoddodd y ffaith fy mod yn anelu at ryw nod arbennig yn y dyfodol, sef ennill Tystysgrif Genedlaethol mewn peirianyddiaeth drydan, obaith newydd imi. A siarad yn ffigurol roeddwn bellach ar drên addysg. Yn llythrennol, ar drên rhwng Bangor a Phwllheli y byddwn yn astudio, yn ogystal â phob gyda'r nos bron yn f'ystafell wely yn yr haf, ac yn ystafell fyw'r teulu, yn y gaeaf, yn sŵn y plant a rhaglenni radio, er mwyn cadw'n gynnes. Yn rhyfeddol, gallwn fwynhau rhaglenni radio a chanolbwyntio ar fy ngwaith cartref yr un pryd. Yn ffodus, doedd ganddyn nhw ddim teledydd. Dyfais sydd erbyn hyn gyda llawer gormod o sothach, yn gyfrifol, trwy orddefnydd a cham-ddefnydd, am ladd sgwrs, cymdeithasgarwch ac astudiaeth. Mae cofio fy mod i wedi helpu i ddatblygu'r fersiwn lliw ohono yn fy ngwaith efo E.M.I. yn ofid parhaus imi.

Yn y Coleg Technegol, a fyddai bron gyferbyn â Phorth Coffa, Coleg y Brifysgol, mewn adeilad coed, oerllyd yn y gaeaf a chwilboeth yn yr haf, cefais athrawon gwych. Daw enwau J. T. Jones (Pennaeth), J. E. Pugh ac Eryl Jones i'r cof yn syth. Hefyd yn ddiweddarach, pan es i Ysgol Friars, Bangor, i wneud Ffiseg Lefel A, Mr Fielding, y cofiaf ei wersi bron air am air hyd heddiw.

Cawn lawer o gefnogaeth yn fy ngwaith, yn arbennig gan Trefor Thomas, yr wyf wedi dal cysylltiad ag o hyd heddiw. Hen ddisgybl yn Ysgol Friars yw Trefor. Gyda swp da o bynciau *Senior O* dan ei felt ymunodd â'r Llu Awyr tua diwedd y Rhyfel, ac wedi dychwelyd esgeulusodd gyfle i fynd ymlaen â'i addysg. Bu'n edifar ganddo flynyddoedd yn ddiweddarach ac ailddechreuodd astudio'n rhan-amser o ddifri. Llwyddodd i ennill y Dystysgrif Genedlaethol Uwch a bu'n beiriannydd efo Manweb yng Nghaer hyd ei ymddeoliad tua deng mlynedd yn ôl.

Bu brwdfrydedd a ffraethineb Trefor, ac ysgafnder ei agwedd at fywyd yn gyffredinol, fel ffisig meddwl i mi ar ddechrau fy ail daith addysgol. Roedd ei rifyddeg, ei Gymraeg a'i Saesneg ar seiliau cadarn, a cheisiwn efelychu ei drylwyredd yn fy ngwaith. Helpai fi nes i'm gwybodaeth ei oddiweddyd, a hyd yn oed wedyn ymddiddorai a chyd-ddysgai â mi lawer o egwyddorion newydd.

Yn ddiweddarach darganfûm darddiad rhagoriaethau Trefor, a oedd yn amlwg wedi'u hetifeddu gan ei rieni. Ei fam, Elliw, o Ddolwyddelan, cyn priodi, wedi bod yn forwyn yng nghartref Silyn Roberts, ac yn efrydydd ffyddlon am flynyddoedd yng Nhymdeithas Addysg y Gweithwyr a gychwynnodd y gŵr athrylithgar hwnnw yng Ngogledd Cymru. Tad Trefor oedd Herbert Thomas o Fangor, a ddylai, gyda'i ffraethineb sych a'i ddoniolwch gwreiddiol, fod wedi bod yn ddiddanwr proffesiynol yn hytrach na phlwmwr ar y rheilffordd. Roedd ganddo ddywediadau pert ac enwau gwreiddiol, doniol ar bethau, er enghraifft galwai *vacuum cleaner* yn fochyn, oherwydd ei fod yn bwyta baw. Am naw bob noson o'r wythnos weindiai ei wats boced, oddieithr ar nos Wener a nos Sadwrn, am fod y wats yn haeddu hamdden fel yntau. Rwyf yn falch imi gael cyfle i'w hadnabod fel teulu.

Trwy ddyfalbarhad dan arweiniad campus f'athrawon, cefais lwyddiant yn f'arholiadau cyntaf a roes hwb imi ymgeisio'n galetach fyth. Ychydig cyn yr arholiadau cyntaf hynny roedd Heulwen ac Idris, cydweithwyr ym Manweb, wedi cynllwynio i gael Awena a minnau at ein gilydd unwaith yn rhagor. Gwahoddwyd ni i swper i gartref Idris a'i wraig yng Nglanadda. Cerdded yno erbyn saith a chael gyda'r nos eithaf boddhaus, am y tro cyntaf yng nghwmni pobl eraill. Er fy mod ychydig yn fwy hunanhyderus erbyn hynny, ofnaf mai actio rhan braidd yr oeddwn o dan yr amgylchiadau. Teimlwn fy mod ar brawf, ac mai o dosturi ataf y trefnwyd yr achlysur.

Erbyn hyn roedd Awena wedi dechrau cael gwersi piano efo Rimmer Edwards, organydd Capel Horeb, un arall o'm cydweithwyr yng nghanolfan Manweb. Ar bwys hynny cefais wahoddiad un noson hafaidd i'w chartref i weld ei phiano newydd. Es ar fy meic, a dychwelyd efo'r beic ar y trên i Fangor yn hwyr. Braint oedd cael cyffwrdd bysedd y piano, a welaf rŵan yn disgleirio gan newydd-deb a **Boyd of London** ar y caead, ond roeddwn i'n rhy swil i awgrymu dysgu deuawd.

Bwriadau da

Peth arall a'm poenai oedd ymholiadau Nain Tyncae. Roeddwn wedi sôn gartref am bawb o'm cydweithwyr ym Manweb, gan gynnwys Heulwen cyn gynted ag y dechreuodd weithio gyda ni. Yn ddiweddarach crybwyllais Awena, gyda chymysgedd o wyleidd-dra, ac anwyldeb, mae'n debyg, a arweiniodd Nain i roi dau a dau at ei gilydd i wneud pump a hanner. Tra parhâi'r garwriaeth roedd ymholiadau pryfoclyd Nain yn foddhaus imi, ond yn eithaf poenus ar ôl yr 'atalnod llawn', na ddatgelais iddi. Gofynnodd imi, yn yr *Austin Seven* ar y ffordd i Bwllheli, 'Pa bryd wyt ti am ddŵad â'r hogan gartra i ni gael ei gweld hi?' Atebais innau y down â hi ryw ddiwrnod.

Ac yr oedd gwaeth i ddod. Soniais yn gynharach am Wili fel y galwai Nain ei chefnder, Y Parch. William Williams, gweinidog Horeb, Llanfairfechan. Erbyn hyn roedd o wedi ymddeol, ac ef a'i briod wedi dod i fyw i Forfa Nefyn yn Llŷn. Byddem yn galw yno, a hwythau yn ein cartref ninnau o dro i dro, a chyn hir darganfu fy nain ffynhonnell o wybodaeth am Awena a'i holl achau. Rhestrodd Mr Williams, ei chyn-weinidog, ei rhagoriaethau i minnau yn ddiweddarach, gan bwysleisio mai fo a'i bedyddiodd, ac a ofalodd am ei datblygiad crefyddol o'i babandod. Byddai hynny oll wedi bod yn bleserus iawn i mi wrando arno petaem yn dal yn gariadon.

Bu digwyddiad rhyfedd yn nheulu Mr a Mrs Williams pan laddwyd gŵr eu merch mewn damwain awyren. Americanwr ydoedd, ac yn llu awyr ei wlad yn ehedeg yn rheolaidd dros Alaska. Diflannodd yr awyren oddi ar sgrin y RADAR ar amser arbennig a gofnodwyd, pryd y lladdwyd y criw i gyd. Ond, ychydig o amser ar ôl y ddamwain, cyn i'r Awdurdodau hysbysu gwraig yr awyrennwr, canodd cloch y ffôn yn ei chartref yn America, pryd y siaradodd ei gŵr gyda hi gan roi iddi gynghorion sut i ddygymod â bywyd hebddo. Er ei bod yn argyhoeddedig mai ei gŵr oedd yn siarad, teimlai fod pwnc ei sgwrs yn od. Holodd ynghylch hynny a thorrwyd y cyswllt . . . Aeth diwrnod neu ddau heibio cyn iddi dderbyn y newydd drwg. Erys y dirgelwch.

Cyd-ddigwyddiad arall

Byddai mam Vivian Brown, a oedd yn ei saithdegau cynnar mi gredwn, yn sôn yn aml am yr ysgol a fynychai'n blentyn, rhwng Llandygái a mynedfa Castell Penrhyn, i gyfeiriad Aber. Siaradai hefyd am gyfeilles iddi o'i dyddiau ysgol a oedd yn byw yn Llanfairfechan, ac nad oedd wedi'i gweld ers rhai degau o flynyddoedd, er iddynt ddal cysylltiad trwy lythyrau. Un wythnos pan oedd y cerbyd gen i, cynigiais fynd â Mrs Brown ryw gyda'r nos i weld ei hen ffrind ysgol. Wedi inni gychwyn roedd mor gynhyrfus â phlentyn ar ei ffordd i ffair. Sgwrsiai am ei hieuenctid, gan gyfeirio at leoedd a oedd yn bwysig iddi yn ei blynyddoedd cynnar.

Heb lawer o drafferth cawsom hyd i'r tŷ yn Llanfairfechan lle trigai'r hen wraig, ffrind Mrs Brown, gyda'i gŵr. Derbyniwyd ni'n groesawgar a chawsom swper, a minnau'n teimlo cryn wefr o fod wedi gwneud eu cyfarfyddiad yn bosibl ar ôl cymaint o amser.

Yn hwyrach, estynnwyd swp o luniau teuluol a'u dangos i Mrs Brown a minnau fesul un gan egluro pwy oeddynt. Pan ddaethom at lun arbennig ni allwn goelio fy llygaid – Awena a Heulwen, a'r hen wraig yn egluro mai ei hwyresau oeddynt. A minnau'n cadw fy nghyfrinach, gan deimlo fod ffawd yn mynnu ymyrryd.

Arallgyfeirio'r ynni

Fel y dywedais eisoes, newidiwyd cyfeiriad fy mywyd gan fy ymdaith fer ar hyd llwybr diarth serch. Cafodd yr ynni creadigol a gynhyrchodd y 'cariad cyntaf' ynof ei sianelu at addysg, i geisio gwrthbrofi'r hyn y'm cyflyrwyd i'w gredu yn fy mhlentyndod, ac at farddoniaeth i ollwng stêm seicolegol. Y term am yr olaf ym maes seicotherapi yw *catharsis,* ysgarthiad emosiynol sy'n help i adfer iechyd meddyliol person yn dioddef effeithiau *trauma*. Yn hyn o beth, mae mantais gan y sawl sydd â thuedd at greu celfyddyd, er bod eraill yn gallu elwa trwy werthfawrogi'r hyn a grëwyd, sy'n adlewyrchu eu teimladau hwythau. Gwyddai deallusion Gwlad Groeg er cyn Crist fod gwylio dramâu sy'n cynhyrfu emosiwn yn gallu gwneud lles i feddyliau pobl. Defnyddir yr un dulliau heddiw mewn gweithgarwch megis *psychodrama* a *guided imagery*.

Parhaodd yr ynni creadigol i lifo hyd heddiw o'r gronfa emosiynol a argaewyd yn fy ail flwyddyn ar bymtheg. Y ddamwain honno, mi dybiaf, a fu'n gyfrifol am fesur o lwyddiant academig ac eisteddfodol, ac a'm symbylodd i sgwennu'r llyfr hwn.

Toriad

Cysgod a hongiai dros yrfâu bechgyn dros ddeunaw oed bryd hynny oedd yr orfodaeth i dreulio dwy flynedd o'u hieuenctid gwerthfawr yn y lluoedd arfog. Gwyddwn y dôi hynny i'm rhan innau, ond cefais ohiriad nes imi gwblhau'r cwrs addysgol yr oeddwn wedi'i ddechrau cyn bod yn ddeunaw. Parhaodd y gohiriad nes imi gwblhau'r arholiadau olaf yn y Coleg Technegol. Erbyn hynny, roedd fy mryd ar fynd i brifysgol, ond gwrthododd yr awdurdodau estyn y gohiriad i ddechrau cwrs newydd.

Milwriaeth

Taith y Pererin

Cefais wŷs i fynd i Wrecsam am brawf meddygol ac i benderfynu fy nghymwyster milwrol. Y dasg gyntaf i bawb o'r nifer oedd yno oedd ateb holiadur cyffredinol, a gymerai rhai yn bur ysgafn, gan y cwynai'r ceiliog dandi o swyddog wedyn am fod amryw wedi ysgrifennu *'Yes please'* yn ateb i'r trydydd cwestiwn – SEX.

Y Llu Awyr oedd fy newis cyntaf, ond gan mai milwr gorfod oeddwn, gyrru lori, nid awyren a fyddai fy nyfodol. Ond, dywedodd y dyn clên gydag amryw o gylchoedd aur ar lewys ei siaced, petawn yn arwyddo i wasanaethu am dair blynedd neu fwy, yn hytrach na'r ddwy orfodol, y byddai'r rhagolygon swydd yn dra gwahanol. Wedi i'm penderfyniad fod yn y fantol am rai munudau, a'r swyddog yn awchus am ei ginio efallai, dyma fo'n cynnig imi fynd i Cardington, ger Bedford, *'To spend a day with the Royal Airforce and take a trade test.'* Yn y fan a'r lle, cefais ffurflen i'w llenwi a gwarant i drafaelio i Bedford ac yn ôl. Roeddwn i fynd ddydd Lun yr wythnos ganlynol, aros yng ngwersyll y Llu Awyr y noson honno, cael gweld dipyn o ryfeddodau technolegol y Llu, a chael y prawf trâd ar y dydd Mawrth cyn trafaelio'n ôl i Fangor. Ond ni fu'r ymweliad â'r *Royal Airforce* mor esmwyth ag y disgwyliwn.

Mwynheais y siwrnai ar y trên, a oedd yn f'atgoffa o fynd i Lundain efo Nain, ond fod yn rhaid newid yn Crewe. Disgynnodd ugain neu fwy o fechgyn ifainc o'r trên yng ngorsaf Bedford. Yn gyfleus iawn, roedd bws llwydlas yr Awyrlu yno a'r gyrrwr yn gwahodd iddo bawb oedd eisiau mynd i Cardington. Roeddem ar daith anturus heibio cofgolofn John Bunyan, yr hangar anferth lle'r adeiladwyd y llong awyr R101, a'r balwnau uchel wrth wifrau i ymarfer naid parasiwt.

Deallais yn fuan fod y bechgyn eraill ar y bws oll wedi dod i ymuno â'r Awyrlu, ac nid i flasu'r bywyd a chael prawf fel fi. Yn syth bin o'r bws ffurfiwyd ni'n dair rheng gan ryw gorporal cuchiog, a'n martsio i'r *cookhouse*. Arwydd da, meddyliwn, y Llu'n gofalu am luniaeth, ond siom a gawsom. Oherwydd rhyw gamddealltwriaeth doedd y coginwyr ddim yn ein disgwyl, a'r pryd bwyd arferol drosodd ers awr neu fwy a barnu oddi wrth stad y gweddillion a grafwyd inni. Dim byd tebyg i'r bwyd a welsom wrth ymweld â gwersyll Penyberth ers talwm.

Yna martsiwyd ni i'r *stores* am ddillad gwlâu, lle bu raid i bawb arwyddo am ddwy gynfas a thair blanced cyn martsio ymlaen i'r cwt cysgu. Roedd yno resi o wlâu, a chawsom wers frysiog ar sut i blygu dillad gwely'n daclus, glanhau'r llawr, sgwrio coes brws a gloywi'r bin sbwriel efo *Brasso.*

Bore drannoeth deffrowyd ni'n gynnar gan floedd y corporal cuchiog, a'n rhybuddiodd mai hanner awr oedd gennym i ymolchi a pharatoi'r cwt cysgu at *inspection,* cyn ein martsio am frecwast. Cyflawnwyd y tasgau mewn pryd a chawsom fwyd derbyniol, er bod blas od iawn ar y te. Roedd Bobby Crane wedi fy rhybuddio eu bod nhw'n rhoi *potassium bromide* ynddo, i bylu awydd bechgyn.

Wedi martsio'n ôl o frecwast i'r cwt, buom yn sefyllian o gwmpas am hydoedd nes i ryw gyw swyddog daflu golwg dros ein gwlâu, y llawr, y coes brws a'r bin. Erbyn hynny, teimlwn fod oriau o'm diwrnod yn Cardington yn ehedeg heb i neb fod yn ymwybodol o wir bwrpas fy ymweliad â'r lle. Yr unig beth diddorol oedd yn digwydd y bore hwnnw oedd fod diffyg rhannol ar yr haul yn weladwy. Ond nid dyna'r unig ddiffyg a ddaeth yn amlwg imi. Pan ddychwelodd y corporal i'n corlannu ar gyfer ein martsio i gael archwiliad meddygol, ceisiais agor fy ngheg i'w ddarbwyllo na ddylwn i fod yn un o'i braidd gan mai yno am brawf trâd yn unig yr oeddwn. Ei ymateb cyntaf oedd – '*Shut up, you don't talk in the ranks.*' Yna pan geisiais wedyn – '*Nobody's mentioned a trade test to me, and as far as I'm concerned you're in the bloody Airforce and that's that. Left, right, left . . .*' ac i ffwrdd â ni i'r cwt meddygol i lawr y ffordd. Roedd ciw mawr ar seti'r arhosfa yno, ac ar ôl pum munud neu ddeg syrthiodd y corporal i drwmgwsg, a manteisiais innau ar y cyfle i sleifio allan. Cerddais yn ddyn rhydd unwaith yn rhagor i chwilio am ymateb synhwyrol gan rywun. Wedi cerdded o gwmpas dipyn, canfyddais brif swyddfa'r sioe, ac egluro fy sefyllfa. Roeddwn yn dra balch o ddarganfod eu bod yn fy nisgwyl a fy mod i gael profion ysgrifenedig yn syth, a chyfweliad yn hwyrach ar ôl i'm hymdrechion gael eu marcio.

Papur cyffredinol i brofi deallusrwydd oedd y cyntaf, a'r atebion oll yn weddol amlwg imi. Roedd yr ail bapur yn brawf ar beirianyddiaeth drydan, â'i osgo'n drwm at gyfarpar trydanol mewn awyrennau.

Soniais o'r blaen am Arthur Poile, a oedd yn y Llu Awyr ym Mhorthneigwl yn ystod y Rhyfel, un o'r ddau a ddeuai i Dyncae. Yn fuan wedi diwedd y Rhyfel, daeth Arthur acw gyda llwyth o anrhegion i ddangos ei werthfawrogiad o'n cyfeillgarwch rai blynyddoedd yn gynharach. Cofiaf i Mam gael côt o flew gafr o Sardinia, lle bu Arthur yn gwasanaethu. Cafodd fy chwaer ddol fawr, a minnau lyfr *Electricity in Aircraft*. Cefais bleser dirfawr wrth astudio'r llyfr hwnnw, a gwyddwn wersi ei dudalennau oll air am air cyn fy mod yn un ar bymtheg oed. Yr hyn na wyddwn oedd mai hwn oedd beibl technoleg drydanol yr Awyrlu bryd hynny, ac ni allwn gredu fy ffawd pan welais ail bapur prawf Cardington – pob cwestiwn wedi'i seilio ar y llyfr yr oeddwn mor gyfarwydd ag o.

Y canlyniad fu imi gael sylw arbennig gan swyddogion uchelryw, a oedd wedi rhyfeddu fod llabwst amrwd â'i acen Saesneg od o anialdir Cymru mor hyddysg ym maes trydan awyrennau. Ni ddatgelais ffynhonnell fy ngwybodaeth iddynt.

Wedi fy sicrhau y byddai dyfodol disglair imi pe dewiswn yrfa yn yr Awyrlu, rhoddwyd wythnos imi benderfynu. Diolchais iddynt a brysio am y trên i Fangor, lle roeddwn wedi parcio'r *Austin Seven* yn barod i wibio i Gaernarfon i gyfarfod cariad newydd. Cyrhaeddais dros awr yn hwyr, a hithau'n amyneddgar a hynaws iawn yn dal i ddisgwyl amdanaf. Diolch iddi am hynny ac am ei chwmni i Eisteddfod Ryngwladol Llangollen yn yr *Austin Seven* ar ddiwrnod cofiadwy, ychydig cyn imi orfod ffarwelio â Chymru am ddwy flynedd faith. Ymddiheuraf dros y car bach yn cael olwyn fflat ger Llandygái, a chydymdeimlaf hyd heddiw â hi am iddi golli un o'i chlustdlysau gwerthfawr ar faes yr Eisteddfod. Roedd disgwyl iddi aros dwy flynedd amdanaf yn ormod, a phan soniais am fy niddordeb mewn tair blynedd wedi hynny mewn prifysgol prinhaodd ei llythyrau a darfod efo'r un yn fy hysbysu fod ei bwji wedi marw, ac yn gobeithio fy mod yn mwynhau fy hun yn y Fyddin. Chwarae teg iddi, fy mai i oedd y toriad hwnnw. Erbyn hynny, roeddwn wedi colli fy nheimladrwydd plentynnaidd, yn or-hyderus ac yn feddw ar fy llwyddiant addysgol efallai. Cofiaf hi fel ag yr oedd yn ugain oed. Bob tro y clywaf record o David Lloyd yn canu un o'i ganeuon adnabyddus, iddi hi y mae, ac am reswm is-ymwybodol hwyrach yr enwais fy ail ferch ar ei hôl.

Beibl a bidog

Pan ddisgynnais i'r ddaear ar y nos Wener ar ôl f'ymweliad ag uchelion yr Awyrlu yn Cardington roedd llythyr swyddogol yr olwg –

amlen frown efo OHMS arni – yn fy nisgwyl gartref. Gwŷs imi ymuno â'r Fyddin ymhen pythefnos yn Great Malvern, fel milwr 'Gwasanaeth Cenedlaethol', am ddwy flynedd yn y *Royal Engineers*.

Wedi dychwelyd i Fangor ddydd Llun mewn cryn benbleth, es i gael sgwrs efo J. T. Jones, pennaeth y Coleg Technegol, ac fel arfer cefais air doeth, byr. Meddai, 'Wel, am ddwy flynedd mi fedri di feio rhywun arall. Os gwnei di ddewis mwy, dy fai di fydd hynny.' Penderfynais gymryd fy siawns gyda'r Peirianwyr Brenhinol, gan obeithio y cawn wneud rhywbeth cysylltiedig â thrydan. Cefais fy nymuniad yn y diwedd, ond nid heb ymladd yn galed.

Yn ystod fy mhythefnos cyn ymadael roedd pob munud yn werthfawr, a'r ffarwelio fel petaswn i'n mynd i fyw yn Awstralia. Y nos Sul olaf, ar derfyn y gwasanaeth yn Smyrna, Llangïan, bu seremoni fach pryd y cyflwynwyd Beibl imi'n anrheg ac y dywedwyd gair gan y Parch. Idan Williams. Mam aeth â fi i Bwllheli at y trên. Yn anarferol iawn, doedd Dad ddim wedi codi'r bore hwnnw. Ddim eisiau fy ngweld yn mynd ddywedodd Mam, a thystiodd Nain iddo wylo'n hidl wedi inni gychwyn, oherwydd i'r achlysur ddwyn atgofion am ei frawd yn ymadael i ddal y trên o Bwllheli cyn mynd i Ffrainc, 37 o flynyddoedd cyn hynny.

Wedi cyrraedd gorsaf Great Malvern, roedd lori yn hytrach na bws yn ein disgwyl, a'n dygodd ar ffrwst mawr hyd lonydd culion troellog, a sŵn ei hechel ôl fel ci yn udo. Troi i'r chwith trwy fynedfa'r gwersyll lle roedd rhyw ddigrifwr wedi sgwennu *'Welcome to Belzen'* efo sialc. Wedi profiad Cardington roeddwn yn gyfarwydd â martsio o gwmpas. Felly yr aethom, sgwad o tua hanner cant o fechgyn, i'r *Stores* i gael popeth sylfaenol i'n galluogi i fod yn filwyr. Cyflawnwyd hynny ar un trip brysiog drwy'r adeilad, a oedd ag un cownter hir a silffoedd y tu ôl iddo â chyflenwad di-drai o'r gwahanol eitemau angenrheidiol. Yn y sefyllfa gyntaf derbyniem y *kit bag* mawr gwag, y lluchiwyd popeth arall iddo gan y storwyr diamynedd wrth inni led-redeg heibio. Erbyn diwedd y wibdaith dylasai popeth fod yn y *kit bag*, gan gynnwys dwy siwt o ddillad, dau gap a thri phâr o esgidiau. Doedd neb wedi holi am fesuriadau pwysig. Dibynnid ar ddyfaliad y storwyr, ar bwys cipolwg ar y cwsmer. Yna, aethom i ymwisgo mewn ystafell arall, ac os oedd problem, dychwelyd at y cownter. Fy hunan, gan fy mod yn chwe throedfedd, yn denau fel styllen (bryd hynny) efo traed hynod o fach a phen hynod o fawr (yn llythrennol) cefais dipyn o drafferth i gael popeth i ffitio. Wedi cyflawni hynny, roedd dillad sifil pawb ohonom i'w gyrru adref, rhag ofn inni ddianc oddi yno 'debyg. Yna aethom i storfa arall i dderbyn reiffl bob un cyn martsio i adeilad cysgu cymaint a thŷ gwair Tywyn. Yno, roedd pawb i feddiannu gwely a rhoi ei enw arno, fel mewn ysbyty. Cawsom wers frysiog hefyd, debyg i'r un a gofiwn i o Cardington, a rhybudd i guddio bollt y reiffl bob amser ar wahân i'r reiffl, a oedd i sefyll mewn rhesel y tu ôl i'r gwely.

Bore drannoeth cawsom ein parêd boreol cyntaf ar ôl brecwast, ac wedyn ein blas cyntaf o wneud dril ar y sgwâr, ac o ymarfer corff. Ond prif amcan ein pythefnos yn Great Malvern oedd dewis pobl ar gyfer gyrfaoedd mewn gwahanol adrannau o'r corfflu. Y *Royal Engineers* sydd yn gyfrifol am bob agwedd o beirianyddiaeth yn y Fyddin Brydeinig, gan gynnwys cyflenwad trydan a dŵr i'r lluoedd mewn tiroedd estron, gwneud ffyrdd a phontydd, cludo loriau a thanciau ar draws afonydd, diarfogi bomiau a meiniau, a hefyd dinistrio offer a chysylltiadau trafnidiaeth gelynion. Yn yr hen ddyddiau roedd twnelu o dan safleoedd y gelyn yn rhan hanfodol o'u gweithgaredd. Dyna paham mai'r enw gwreiddiol ar y corfflu oedd *The Corps of Sappers and Miners*. P'run bynnag, fel y pwysleisiwyd ganwaith, mae'n hanfodol fod pob peiriannydd yn y Fyddin yn filwr profiadol hefyd, gan fod llawer o'i waith ar faes y gad o dan fygythiad gelyn, ac mae'n rhaid iddo allu ei amddiffyn ei hun a'i gyd-filwyr. Felly, pa swydd bynnag a geid fel peiriannydd, rhaid oedd i bawb gyflawni cwrs o hyfforddiant sylfaenol milwr, sef gwybod sut i ladd pobl efo bwled a bidog, cloddio ffosydd i ymguddio, a dod o hyd i'w ffordd efo map a chwmpawd. Ac ar ben hynny rhaid i bawb o'r *Royal Engineers* allu adeiladu pontydd dur, diarfogi dyfeisiadau ffrwydrol, dinistrio ffyrdd, rheilffyrdd a phontydd ac yn y blaen efo ffrwydron, a chludo offer dros ddŵr.

Ar yr ail ddiwrnod yn Great Malvern cawsom oll gyfweliad, pryd yr ysgrifennai'r swyddogion bob manylyn amdanom. Cynhwysai'r manylion hynny ddisgrifiad, cefndir addysgol, gwaith, a diddordebau; a rhaid oedd datgan i ba sect grefyddol y perthynem. Roedd hynny, fel *Meth., C of E, RC*, neu arall, ynghyd â'n rhif milwrol hollbwysig wedi'u stampio yn ddiweddarach y diwrnod hwnnw ar *identity disc* a wisga pob milwr, er mwyn adnabod ei gorpws a gwybod sut i'w gladdu. *23048283 Meth.* oedd ar f'un i ond yn ffodus, fu dim angen defnyddio'r wybodaeth, er imi fod yn bur agos fwy nag unwaith.

Cawl eraill

Roedd y posibilrwydd o wneud gwaith trydan yn y diwedd yn apelio'n fawr ataf, a thipyn o siom imi cyn diwedd fy wythnos gyntaf oedd clywed fy mod i gael fy nhrosglwyddo i'r *Catering Corps.* Achosodd hyn gryn benbleth, gan nad oedd coginio yn bwnc o ddiddordeb imi, nac yn un yr oeddwn wedi cael unrhyw gyfarwyddyd na phrofiad ohono erioed. Ond, meddyliwn, a barnu oddi wrth safon y bwyd yn y gwersyll, efallai mai cogyddion di-syniad fel fi oedd orau ganddyn nhw. Yn dilyn ymholiad, darganfûm mai camddealltwriaeth syml oedd wrth wraidd y bwriad. Wedi darfod fy mhrentisiaeth efo Manweb, disgrifiad fy swydd oedd *Meter Tester*. Dyna a ddywedais yn ddigon plaen pan ofynnwyd imi beth oedd fy ngwaith, yn ystod fy nghyfweliad cyntaf, ond beth oedd yn ysgrifenedig pan welais ffurflen a baratowyd gan un o'r swyddogion oedd *Meat Attester*! Cywirwyd y cam a chefais aros yn y *Royal Engineers.* Yna, mewn cyfweliad pellach erfyniais am gael gwaith fel peiriannydd trydan, a dadleuais fy achos nes cael addewid am brawf trâd yn fy mhwnc.

Yn hwyr ddydd Gwener yr wythnos gyntaf cawsom orchymyn i newid i'n dillad ymarfer corff. Ddaeth y rheswm ddim yn glir nes inni orfod ciwio yn y glaw y tu allan i'r cwt meddygol. Ni hoffais erioed gael brechiadau ond doedd y rhai a gawswn cynt ond megis pigiadau chwannen o'u cymharu â'r rhain. Eisteddem ar fainc hir un tu ôl y llall, ddwsin ohonom ar y tro, pob un â'i ddwylo ar ei wasg. Yna, dau ddyn mewn cotiau gwynion, un ohonynt yn cychwyn bob pen i'r rheng, ar ochrau gwahanol, gyda'r un nodwydd o fraich i fraich. Roedd y sawl a eisteddai ar ganol y fainc yn debyg o gael pigiad yn ei ddwy fraich ar unwaith, mae'n rhaid. Ac nid un na dau ym mhob braich a gawsom. Y sgôr derfynol oedd saith i bawb. Ond doedd ing y pigiadau yn ddim o'i gymharu â'u heffeithiau wedyn. Yn ystod y noson honno roedd pawb yn teimlo'n sâl, a chyhyrau ein breichiau mor boenus â phe buasem wedi cael deg rownd efo penbaffiwr y dydd. Anodd oedd cysgu gan y boen, a griddfannau rhai eraill, ond roedd synnwyr digrifwch yn ffynnu, gydag un bachgen â'i ddoniolwch yn arbennig o effeithiol a smaliai alw ar ei fam, *'Please, mother, help me, I'll never complain again I promise, and I miss your apple pies.'* Un broblem oedd fod ei ysmaldod yn ein gorfodi i chwerthin, a hynny'n gwaethygu'r gwayw.

Erbyn y parêd fore Llun roedd pawb wedi gwella o haint y brechiad, a'r cyfnod helbulus wedi'n galluogi i adnabod ein gilydd yn weddol dda. Ond doedd yr adnabyddiaeth ddim i barhau, gan mai'r profiad nesaf oedd cael ein martsio i siop y barbwr, os gallech ei alw'n un. Gwerthai'r barbwr hancesi sidan efo arwyddlun y *Royal Engineers* arnynt ac amryw o dlysau eraill, addas i'w hanfon adref. *'In case they forget you,'* meddai'r eilliwr pennau. Credai'r bechgyn fod y barbwr yn ysgafnach efo'i beiriant swnllyd ar bennau'r rhai oedd wedi talu'r crocbris am ei anrhegion. P'run bynnag am hynny, wedi'r sesiwn 'farbaraidd' roeddym oll yn ddieithriaid hollol i'n gilydd, gan mor wahanol yr edrychai pawb wedi colli o leiaf 80% o'i gnwd.

Yn gaethion yn y gwersyll yr arhosom, i wisgo tarmac y sgwâr am rai oriau bob dydd, a gwneud ymarfer corff am y gweddill, nes cael ein gyrru i wersylloedd eraill ddydd Llun y drydedd wythnos. Fel y mwyafrif o'r bechgyn eraill, i *B Squadron, Royal Engineers, Cove, Nr Farnborough, Hants.*, y'm gyrrwyd i. Yno roeddym i barhau ein hyfforddiant milwrol a dysgu gwaith sylfaenol y gatrawd.

Croeso a chroestyniad

Un o'r achlysuron cyntaf ar ôl cyrraedd ein gwersyll newydd oedd tyrru i neuadd fawr i'n croesawu i'r *Royal Engineers* gan brif swyddog y lle – un â choch o gylch ei het, na thriniai'r *bayonet*, chwedl Cynan. Nid ei het yn unig oedd yn goch, edrychai fel pe byddai wedi cael wisgi neu ddau cyn cychwyn allan. Prin oedd ei eiriau, mewn acen Eton-aidd: *'Welcome to the Royal Engineers. I am sure that you will all turn out to be jolly good chaps.'* Diflannodd y cochyn a daeth y *Sergeant Major*, â'i groen fel rhisgl derwen, i'r llwyfan a siarad iaith y *barracks*. Gadawodd ei gyfarthiad agoriadol gryn argraff arnaf: *'Listen 'ere you scruffy lot, there's the easy way and there's the 'ard way. Now, the easy way ain't easy, but the 'ard way is bloody 'ard.'* Ac aeth ymlaen gan ein dychryn efo'r hyn oedd wedi'i arfaethu inni yn ystod ein tri mis o hyfforddiant, a'n rhybuddio '. . . *and your feet won't touch the ground for the next fortnight.*'

Roedd ymarferiadau'r wythnosau canlynol yn galed, ac yn cynnwys rhedeg ar hyd *assault courses* efo paciau a reiffl, martsio rhai milltiroedd bob bore, ymarfer corff llethol, a gwanu sachau yn llawn o wellt efo bidogau dan sgrêchian.

Cawsom hefyd bregethau gan y *Padre*, a lysenwyd *'The Sky-pilot'*. Ei brif swyddogaeth hyd y deallwn oedd cysoni dysgeidiaeth Crist efo lladd gelynion. Heb gredu fod hynny'n *OK* fuasai o ddim wedi cael y job 'debyg, a gofalai nad oedd digon o amser ar ôl i'w groesholi. Ond mi oedd o'n ddyn neis, ac fe'n sicrhaodd ni fod yr Hollalluog ar ein hochr ni bob amser mewn rhyfeloedd, ac wedi cipio rhai o safn angau lawer gwaith. *'Bullshit,'* meddwn innau dan fy ngwynt, 'beth am Wil Coed-y-fron a'r gweddill dirifedi?'

Gwerddon

Un prynhawn yng nghanol ymarferiadau cefais alwad i'r *Squadron Office*, a deall fy mod i fynd am brawf trâd i Aldershot drannoeth. Byddai cerbyd i'm dwyn yno ac yn ôl. Bu'r diwrnod hwnnw, allan o'r trybestod militaraidd, fel gwerddon mewn anialwch i mi. Cyrhaeddais fan fy mhrawf erbyn naw yn y bore – swyddfa peiriannydd trydan cwmni gweddol fawr. Roedd yn fy nisgwyl, ac yn hen foi iawn. Trefnodd baned o de i iro'n sgwrs cyn dechrau. A minnau'n teimlo'n bur gartrefol, eglurodd fod rhaid iddo fynd allan am y gweddill o'r bore i ryw gyfarfod. Rhoddodd bapur gyda deg cwestiwn sylweddol ar beirianyddiaeth drydan imi i roi atebion ysgrifenedig, gan fy annog i gymryd fy amser. Gadawodd fi yn ei swyddfa i fwynhau'r heddwch a'r her dechnegol. Roedd y cwestiynau oll o fewn fy ngallu, ac ond imi fod yn ofalus iawn gwyddwn y medrwn sgorio deg *bull's eye*, a defnyddio term milwrol. Ac mae'n debyg imi lwyddo gan fy mod wedi darfod ateb pob cwestiwn a mynd dros y papur eilwaith i sicrhau fod popeth yn gywir, ac ychwanegu at fy atebion yma ac acw cyn i'r gŵr bonheddig ddychwelyd. Yn y prynhawn roeddwn i gael prawf ymarferol, mynd allan efo trydanwr i weirio rhan o adeilad. Gadawodd fi fy hunan i gwblhau'r gwaith ac aeth yntau i brynu cywion ieir. Roedd yn ddiwrnod hyfryd, heulog, tua diwedd Awst, ac wedi darfod fy nhasg es am dro a darganfod siop fach lle prynais botelaid o *Cream Soda* i dorri fy syched. Yn rhyfeddol daw blas y ddiod honno ag atgofion melys am fy niwrnod o ryddid yn Aldershot yn ôl imi bob amser. Ond yn ôl i'r gwersyll roedd rhaid imi fynd ar ddiwedd fy niwrnod o ryddid ac anghofiais bopeth am fy ngorchestwaith dros dro.

Haul a chwmwl

Yr antur nesaf oedd martsio o Cove i Ash Vale, taith o tua chwe milltir, i wersyllu mewn pebyll. Ar y ffordd gwelais dŷ â'r enw Pen-y-clawdd ar y giât, a gododd fy nghalon wrth ddyfalu fod teulu o Gymry yn byw yno. Arhosom yng ngwersyll Ash am bythefnos yn ymarfer saethu ar y *ranges*, yn ffug-ryfela, a darganfod ein ffordd yn ôl wedi'n gollwng mewn lle dieithr allan yn y wlad. Dygwyd ni un bore mewn lori, ein dymchwel ar ochr y ffordd yn rhywle a'n gadael i ddarganfod ein ffordd yn ôl i'r gwersyll efo cwmpawd a map. Cofiaf yn dda enw'r pentref bach lle gollyngwyd ni, am ei fod yn swnio mor od – *Christmas Pie*. Wedi astudio'r map roedd y ffordd yn weddol amlwg, ond gryn bum milltir o daith. Yn fuan wedi inni gychwyn daeth lori wartheg heibio a chynnig lifft inni. Bu'r demtasiwn yn ormod, gan fod y lori yn digwydd bod yn mynd drwy bentref Ash, nad oedd ond prin chwarter milltir o'r gwersyll. Ond rhag cyrraedd yn gynamserol, aethom i gaffi bach i dreulio'r amser, a chyrraedd yn ôl ar ddiwedd y prynhawn, efo tipyn o ddŵr o gornant ar ein hwynebau i smalio chwys, a cheisio ymddangos wedi blino'n llwyr!

Mwynheais f'arhosiad yng ngwersyll Ash yn fawr. Yr unig broblemau oedd prinder bwyd a llygod mawr. Deffroais unwaith ganol nos a goleuo torts, pryd y gwelais lygaid llygoden anferth yn pefrio arnaf o gornel bella'r babell.

Tybiem fod y prinder bwyd yn fwriadol, fel rhan o'r ymarferion, er inni drechu'r system trwy brynu llaeth gan ffermwr, bwyta mwyar duon oddi ar y cloddiau a derbyn teisen o gartref. Rhannai Roger Short, fy ffrind o Sunbury-on-Thames, fwyd y deuai ei rieni ag ef iddo yntau weithiau hefyd. Bu'r '*Sally-Am*' (*Salvation Army*) yn hynod o ffyddlon yn ystod ein holl ymarferiadau allanol. Bob dydd deuent i werthu brechdanau, teisennau a diodydd.

Derbyniem lythyrau o dro i dro yng ngwersyll Ash, ac ar fore gwlyb cefais un efo marc post Bangor arno. Llongyfarchai fi ar ennill y Dystysgrif Genedlaethol gydag arbenigrwydd – y nod y bûm yn anelu ato cyhyd. Mae'n debyg imi ddweud wrth un neu ddau o'm ffrindiau yno, ond roedd y rhai y buaswn wedi dymuno rhannu fy newydd da efo nhw dros ddau gan milltir i ffwrdd.

Digwyddodd un trychineb a gymylodd ein harhosiad yn Ash. Lladdwyd bachgen gan fwled adlam tra oedd yn y ffos (*buts*) tu ôl i'r targedau saethu. Byddai pawb ohonom yn y fan honno, yn ein tro, i ddangos i'r saethwyr efo arwydd gwyn ar goesyn hir lle y treiddiai pob bwled. Ambell dro byddai bwled yn taro ffrâm fetel y targedau ac yn chwyrlïo tros ein pennau, ond eithriad oedd i saeth wyrgam felly daro neb yn y ffos.

Caethion yn y gegin

Wedi dychwelyd i Cove roedd rhaid inni wneud ein rhan o'r *cookhouse duties* a hynny mewn gwersyll diarth cyfagos. Cawsom lawer o ddifyrrwch er gwaethaf llafur caled, a gynhwysai olchi llestri a thuniau seimllyd a phlicio tatw.

Gan ddechrau tua naw y nos roedd yn angenrheidiol i oddeutu dwsin ohonom lenwi tanc dŵr 50 galwyn efo tatw. Wel, am joban ddigalon! Roedd yno beiriannau, dri neu bedwar, i dynnu croen tatw, ond gwaherddid inni ddefnyddio'r rheini oherwydd fod gormod o lygaid yn nhatw'r llwyth oedd gennym ar y pryd, meddai'n rheolwyr. Gwaharddiad neu beidio, wedi i'r swyddogion noswylio llenwid pob peiriant â thatw a'u gadael i'w treulio fel nad oedd yr un llygad yn aros. Maint peli *ping pong* oeddynt erbyn hynny, ond roedd pob un yn help i lenwi'r tanc.

I dorri ar ein syrffed, byddem yn taflu ambell i daten bliciedig hyd at y nenfwd uchel, fel y disgynnai i ddŵr y tanc cadw gyda choblyn o sblas. Erbyn cwblhau'r dasg datyddol, byddai tua dau o'r gloch y bore, a ninnau'n gorfod codi am chwech wedyn i helpu paratoi brecwast.

Yn y cwt cysgu lle roedd tuag ugain o wlâu roedd un preswylydd oedd yn ddirgelwch hollol inni, yn y gongl bellaf o'r drws. Âi i'w wely'n hwyr a chodai'n hwyr yn y bore, ac ni fyddai arwydd ohono ar unrhyw adeg arall. Pan ddaeth yn benwythnos cawsom sgwrs efo fo, a deall iddo ddod yno ddeunaw mis cyn hynny am brawf trâd. Rhoddwyd gwely iddo, a gorchymyn i aros nes cael galwad. A dyna yn union a wnaeth. Yr unig barêd yr âi arno oedd am ei dâl bob dydd Gwener. Dysgodd inni lawer o driciau hen filwr, fel siafio'n capiau rhag iddynt ymddangos yn newydd, flewog, a ddatgelai mai *nignogs* oeddym (*nignog* = un newydd i'r Fyddin). Cyngor arall oedd sefyll yng nghanol rheng ganol bob amser, gan y dewisid rhai ar gyfer tasg o'r rheng flaen, yr ôl neu'r pen, fyth ar hytraws. Roedd ei ddysgeidiaeth wedi gweithio iddo fo'n amlwg, gan ei fod bron wedi cwblhau ei Wasanaeth Milwrol heb wneud dim ond casglu ei dâl.

Dyna'r cyfnod pryd y cefais dorri fy ngwallt deirgwaith mewn cynifer o ddyddiau. Sut oedd hynny'n bosib? Yn hawdd. Gyda'r wybodaeth fod archwiliad blynyddol pwysig gerllaw, es i gael torri fy ngwallt yn wirfoddol. Drannoeth, daeth gorchymyn i bawb yn y gwersyll lle roeddym ar *cookhouse duties* gael torri'i wallt, a phrofi hynny trwy i'r barbwr arwyddo darn o bapur. Haws na gwrthwynebu oedd mynd am eilliad arall. Ac wedi inni ddychwelyd i'n gwersyll ein hunain y diwrnod wedyn roedd gorfodaeth debyg mewn grym yno, lle roedd rhestr o'n henwau gan y barbwr, i'w croesi bob yn un ar ôl cyflawni'r orchwyl. Dyma'r amser, a minnau'n foel bron iawn, yr oeddym i ddysgu adeiladu pontydd a defnyddio cychod. Ac yno ar lan Llyn Horley, a oedd yn f'atgoffa o forfa fy nghynefin yn Llŷn y cefais y cyfle cyntaf i fyfyrio, pryd yr anfonais y gerdd honno i'r *Cymro,* yr un yr oeddwn wedi'i sgwennu ar ôl colli fy nghariad bedair blynedd cyn hynny. Roedd hynny ychydig cyn i rai, a minnau yn eu mysg, fod o fewn trwch blewyn i gael damwain angheuol. Ar y llyn yr oeddym mewn cwch gwneud, wedi'i gyfaddasu o foncyffion coed, gyda pheiriant yn ei yrru. Anodd iawn oedd ei lywio, ac roedd grŵp arall yn cario tanc (tanc rhyfel nid tanc dŵr) ar bontŵn efo pont Bailey ar ben hwnnw, a weithiai fel ramp ar bob pen i lwytho a dadlwytho'r tanc. Wedi edrych yn ôl pan glywsom floedd, gwelsom yr adeiladwaith enfawr yn troi i'n cyfeiriad. Byddai ei ramp ar un pen wedi'n hollti fel petai'n fwyell enfawr, oni bai am weithred swyddog ifanc a redodd i ben y ramp cyferbyn er mwyn i'r llall godi. Achubwyd ni gan ei weithred arwrol.

Chwilfriwio

Doedd fy nyddiau rhyfygus i ddim drosodd. Rhaid oedd cyflawni cwrs i ddysgu sut i ddefnyddio ffrwydron i ddinistrio ffyrdd, pontydd, rheilffyrdd ac unrhyw beth arall a allai fod o fudd i elyn. I'r perwyl hwn, aethom ymhell o bob man ar wastadedd Salisbury. Yno roedd cytiau noddfa fel yn chwarel Dorothea lle'r awn efo Yncl Robat, Llanllyfni. Y gwahaniaeth mawr oedd mai fi, yn un, oedd yn gorfod cyffwrdd y jeli melyn a'r brics gwynion peryglus. Rhaid oedd gosod y ffrwydron yn ofalus a thanio'r ffiwsiau, gan gadw rheolau a oedd mor bendant â rhai'r Mediaid a'r Persiaid gynt. Un oedd peidio â brysio na rhedeg i unman.

Roedd darnau o reilffyrdd inni ymarfer eu chwythu'n yfflon. Sôn am gleciau byddarol! Darnau o haearn yn chwyrlïo heibio'n lloches a'r rheini i'w canfod hanner milltir i ffwrdd, meddai'r *sergeant*. Gwnâi cario tafelli o gelignit imi sylweddoli pa mor denau yw'r llen rhwng bywyd a difodiant, neu fyd arall.

Hefyd, roedd rhaid inni allu gwneud tyllau anferth yn y ddaear, a fuasai'n drysu trafnidiaeth y gelyn. Wedi curo pibell ddur tua thair modfedd o ddiamedr a chwe throedfedd o hyd i'r ddaear efo gordd, rhoi darn bychan o gelignit wrth ffiws hir i lawr twll canol y beipen a thanio. Achosai hyn geudwll crwn o faint pêl droed, hyd y bibell is arwynebedd y ddaear. Yna roedd yn rhaid llenwi'r ceudwll efo gelignit, trwy ollwng pelenni bychain ohono trwy dwll y bibell. A'r ceudwll yn llawn, rhoi ffiws drydan y gellid ei thanio o bell pan fynnem, i wneud y twll enfawr. Doeddwn i ddim wedi sylweddoli tan hynny pa mor bwysig yw lleoliad ffrwydron, i ddistrywio pont er enghraifft. Yn ffodus, ni ddistrywiwyd yr un ohonom ni'r tro hwnnw, er imi glywed hanesion brawychus am rai eraill.

Yn filwr 'go iawn'

Yr achlysur nesaf o bwys yn Cove oedd parêd i ddathlu diwedd ein tri mis o hyfforddiant. Bu wythnosau o baratoi ar y sgwâr efo Sergeant Stathers, hen soldiwr oedd wedi bod yn un o gatrodau'r *Guards,* arbenigwr ar ddril ac, fel y darganfûm, yn gryn awdurdod ar hanes milwriaeth a rhyfeloedd dros y canrifoedd. Cymeriad hoffus ac, yn rhyfeddol, mwynheais ei wersi dril, a oedd wedi'u haddurno â ffraethineb a choegni, fel *'Have you got a great grandmother, lad? Well, even if she's dead she'd hold that bloody rifle better than you are doing.' 'I want you to be so smart on the Passing Out Parade that your own mothers won't recognise you.' 'I want the sound of your marching to be like the ticking of a watch.'* Ac fe gyflawnwyd ei ddymuniad. Roedd ei ddisgyblaeth mor llym â'n bidogau, ond ei galon yn eithaf tosturiol. Ganddo fo y clywais y jôc am hen *sergeant major* pur wahanol ei agwedd, ond yn gredadwy iawn i rai â phrofiad o'r Fyddin. I'w gwerthfawrogi rhaid deall y term *'As you were'* fel y'i defnyddir mewn dril. Golyga'n syml fynd yn ôl i'r sefyllfa flaenorol, h.y. fel ac yr oeddych, cyn ymateb i'r gorchymyn diwethaf. Yn ôl Sergeant Stathers roedd llu o filwyr ar barêd un diwrnod a'r *Sergeant Major* yn gorfod torri'r newydd drwg i fachgen, fod ei fam wedi marw. Heb unrhyw ragymadrodd meddai, *'Smith, your mother's dead.'* Ceryddwyd y *Sergeant Major* gan swyddog uwch a glywodd ei ddatganiad cwta, a'i annog i dorri newyddion trist o'r fath mewn dull . . . wel, llai uniongyrchol o hynny ymlaen. Maes o law, pan ddaeth dyletswydd debyg i'w ran ar barêd boreol, meddai, *'All those of you in the front rank with mothers, take one step forward . . . Jones. As you were.'*

Daeth diwrnod mawr y *Passing Out Parade* a mamau pawb, rhai tadau ac ambell gariad yn gwylio ffrwyth oriau o ymarfer efo Sergeant Stathers. Y band yn chwarae, y martsio fel tician wats, y llinellau'n syth wrth basio llwyfan y salŵt, a neb wedi gollwng ei reiffl. Ac roedd Mam yno, a dim ond prin wedi fy adnabod. Roedd bwyd i'r ymwelwyr a ninnau cyn iddynt hwy droi tuag adref. Ninnau wedyn yn paratoi am noson allan ar balmantau Llundain i ddathlu cyrraedd y garreg filltir olaf ond un yn Cove. Yr olaf oedd pan alwyd ni at ein gilydd cyn cael mynd adref am wythnos o wyliau, i'n hysbysu i ble roeddym i fynd wedyn. Amryw i'r Aifft, y mwyafrif i'r Almaen *(British Army of the Rhine)* a minnau, ar bwys cywirdeb f'arholiad yn Aldershot, yn athro yn y Royal School of Military Engineering, Chatham. Anodd imi oedd coelio fy nghlustiau. Swydd na allwn fod wedi dymuno'i gwell. Roedd Nain wedi sôn y byddai'n gweddïo trosof bob nos ar ôl dweud ei phader.

Diwedd a dechrau

Dymunol iawn oedd yr wythnos o wyliau yn Llŷn, ac wrth gwrs gelwais i weld pawb ym Manweb, Bangor, a'u hysbysu'n llawen o'm llwyddiant. Ond tymherwyd fy malchder pan gefais wahoddiad i alw yng nghartref Heulwen am baned o de, a deall fod Awena wedi cael cariad aeddfetach na fi erbyn hynny. Ac nid dyna'r unig beth negyddol. Gwyddwn fod yr hen wraig, Mrs Brown, mam Vivian, wedi marw yn fuan ar ôl imi ymadael o'r Borth, ond pan alwais yn 36 Trem Eryri darganfûm fod Janet, gwraig Vivian, yn gaeth i'w gwely yn y parlwr bach ffrynt. Doedd neb ond ei theulu agosaf yn cael mynd i'w gweld, ond mi ges i, ac eistedd wrth ei gwely am ychydig o funudau gwerthfawr. Estynnodd ei llaw wen a gafael yn llipa yn fy llaw innau, a'r ddau ohonom yn gwybod . . . Diolchais iddi am ofalu amdanaf dros bum mlynedd fy mhrentisiaeth. Gwenodd wrth imi ymadael.

Cyrhaeddais Brompton Barracks, Chatham, lle roeddwn i fyw, ar y nos Sul er mwyn dechrau ar fy ngwaith fel athro yn yr ysgol fore Llun. Roeddwn wedi fy syfrdanu gan foethusrwydd fy ystafell, efo hyd yn oed ddesg a lamp fwrdd, a charped ar lawr. Roeddwn yn ysu am weld yr ysgol, a oedd bum munud o gerdded o'r gwersyll. Y trefniadau oedd fod y disgyblion a'r athrawon yn byw yn Brompton Barracks ac yn mynychu'r ysgol ddyddiau'r wythnos o naw tan bump, ac eithrio ambell fore i wneud dril, a phrynhawn Mercher i chwaraeon. Roedd staff milwrol ei ogwydd yn rheoli'r *barracks*, ac yn gyfrifol am ddisgyblaeth, a staff technegol yr ysgol heb fawr o ddiddordeb yn hynny. Y canlyniad oedd gwrthdynnu parhaus, a rhaid oedd cyfaddawdu. Ond gennym ni yn yr ysgol yr oedd y llaw uchaf, gan fod pawb yn y *Royal Engineers* yn cael cyflog a ddibynnai i raddau sylweddol ar gymhwyster technegol, yn hytrach na milwrol, hyd yn oed pan lanwent swyddi uchel yn yr ail faes. Roedd y mwyafrif ohonynt yn ymgeisio i wella'u safleoedd. Heb berygl o unrhyw ragfarn wrth gwrs, ni yn yr ysgol a osodai bapurau eu harholiadau a marcio'u hymdrechion, a gwyddent hynny'n dda. Roedd cyfleusterau addysg ardderchog yn yr ysgol, gan gynnwys gorsaf bŵer y gallem ei chysylltu â'r system drydan genedlaethol. Ar brydiau eraill, ni a fyddai'n cynhyrchu trydan i Brompton Barracks a iardiau llongau Chatham, a gallem godi amledd y cyflenwad i fyrhau'r diwrnod gwaith trwy gyflymu pob cloc trydan heb i neb wybod.

'On charge'

Roedd yn yr ysgol ystafell arbennig i ailwefrio batris, a reolid gan Andy, milwr dan orfodaeth fel finnau, is-gorporal poblogaidd a berchid yn fawr gan swyddogion o bob gradd, am fod ei dad yn brif swyddog y *Royal Engineers,* ac am fod Andy yn foi mor handi am ail-lenwi ag ynni unrhyw fatri. (Ymddiheuraf am elfen gocosaidd y frawddeg.) Dipyn o rebel oedd o, nad ofnai ddatgan ei farn ar unrhyw bwnc. Yn rhadlon, heb uchelgais ond darfod ei ddwy flynedd yn y Fyddin, rhedai'r siop fatri yn effeithiol at bwrpas dosbarthiadau'r ysgol a mwy. Helpai bawb oedd eisiau ailwefrio batri ei gar, a rhannai ddŵr distyll i'r holl gerbydau. Byddai rhywun yno'n barhaus yn mofyn y dŵr arbennig i'w fatri. Ac un bore Mawrth ufuddhaodd Andy â gwên i gais ffôn gan y Cyrnol i lenwi potel beint o'r distyll rhad a'i hanfon i'w blasty. Cymerodd Andy yn ganiataol mai i'w gar yr oedd y Cyrnol ei angen. I'r pwrpas hwnnw, doedd dim gwahaniaeth petai arlliw o asid sylffiwrig ynddo, ac felly doedd Andy Batri ddim yn or-ofalus. Ond defnyddio'r dŵr mewn haearn smwddio stêm oedd bwriad Mrs Cyrnol. Ddiwrnod neu ddau'n ddiweddarach dychryndod iddi oedd darganfod fod y dillad a smwddiwyd mor frau â phapur gwlyb, a'r haearn smwddio yn ddu bits. Yn rhyfeddol, chafodd Andy mo'i ddwrdio gan neb am yr anffawd.

Ysgol Beirianyddiaeth Brompton (bellach yn amgueddfa).

Cymysgu

Doedd gennyf fawr o amser hamdden yn Chatham gan y byddai'n ofynnol imi baratoi gwersi ar gyfer pob dydd yn yr ysgol a marcio gwaith y bechgyn, ac ar ben hynny roeddwn yn astudio am y Dystysgrif Genedlaethol Uwch. Golygai hyn fynychu ysgol nos yn Gillingham i astudio mathemateg ddwywaith yr wythnos, a Choleg Technegol Medway bob prynhawn Mercher yn lle cymryd rhan mewn chwaraeon.

Dim ond yr ychydig brwd a wnâi hynny beth bynnag. Âi'r rhai a oedd yn byw o fewn hanner can milltir adref neu at gariadon ar eu motobeiciau. Y rheol oedd ymddangos ar barêd pnawn chwaraeon mewn gwisg a chyda chyfarpar addas i'r gweithgaredd dewisedig. Bob wythnos ceid cyfran helaeth efo tyweli a dillad nofio – ar eu ffordd i'r pictiwrs am y pnawn. Un dydd Mercher wedi i lu o'r bechgyn fynd o'r neilltu ar ôl i'r *Sergeant Major* alw *'Fall out the swimmers,'* meddai yn goeglyd, *'For your information, the swimming pool has been closed for repairs for the last three months but will re-open next week.'*

Cymeriad doniol oedd Sergeant Rolston, pennaeth heddlu'r *barracks.* Hynod o egnïol yn ei waith o sicrhau fod pawb yn cadw pob rheol filitaraidd a ysgrifennwyd erioed, mi dybiwn. Roedd yn drwsiadus iawn bob amser a chlywais achlust iddo gael gwnïo streipiau ar lewys ei byjamas, a'i fod bob amser yn cysgu *'to attention'.* Ymatebodd Sergeant Rolston i sylw'r Cyrnol unwaith - wedi i hwnnw archwilio'r heddlu a dweud, *'The turnout is atrocious,'* trwy droi at y trŵp â gwên lydan a dweud, *'Very good lads, keep it up.'* Sôn am byjamas yn fy atgoffa o dric a chwaraeom ar Phil Snack o Lundain. Bob nos o'r wythnos ar ôl ei ddiwrnod gwaith, âi i'r brif-ddinas ar y trên, i chwarae sacsoffon mewn band. Dychwelai yn oriau mân y bore a chrafangu i'w wely mor ddistaw â llygoden, a heb roi golau, rhag tarfu ar neb. Pan oeddwn wedi prynu injan wnïo fach i fynd adref i'm chwaer, dyma ni'n profi ei heffeithiolrwydd ar byjamas Phil – pwytho un fraich i ochr y siaced ar ei hyd. Rhywsut neu'i gilydd, cyn mynd rhwng y cynfasau rhoddodd ei byjamas amdano, mewn lludded a thywyllwch, heb sylwi fod dim o'i le. Ond pan ddeffrôdd yn hwyrach a cheisio codi'i fraich, ni allai ei symud. Cynhyrfodd yn arw, yn argyhoeddedig iddo gael strôc.

Er y byddai gennyf ymrwymiadau lu yn f'ardal newydd, dihangwn yn ôl i Gymru bob cyfle a gawn. Cymryd y trên cyntaf i Waterloo, ar draws Llundain i Euston ar siawns i ddal unrhyw drên am ogledd Cymru, ambell dro yn lwcus, dro arall yn gorfod disgwyl am oriau yn

Crewe, gyrru neges deliffon, cais am i Dad neu Mam fy nghyfarfod ym Mangor pan na fyddai trên ymhellach. Yn ffodus roeddynt wedi prynu car newydd erbyn hynny – *Austin* A30, DCC 578, a oedd yn welliant anhygoel ar yr *Austin Seven*. Cawn ei fenthyg i grwydro Llŷn, ac i Fangor i ymweld â'm cyn-gydweithwyr ym Manweb. Ar ymweliad felly y dywedodd un, gyda chryn foddhad, 'Ma'r fodan oedda ti'n mynd allan efo'i 'di prodi wsnos dwytha.'

Yn ffodus, roeddwn wedi trechu f'agwedd hunandosturiol erbyn hynny, wedi caledu dan ddylanwad y Fyddin, ac adennill hunanhyder ar bwys llwyddiant addysgol. Serch hynny, rhaid imi gyfaddef i'r newydd roi plwc i un o linynnau cudd fy nghalon. Pan ddychwelais i'm hystafell yn Brompton, tynnais ei llun (efo'i beic ym Mhenmon gyda'r goleudy yn y cefndir) oddi ar du mewn i ddrws fy wardrob a'i falu'n seremonïol fân. Ond ni allwn fyth ddileu'r darluniau a argraffwyd ar fy nghof.

Digwyddodd amryw o droeon trwstan yn Chatham. Yn ogystal â hyfforddi milwyr mewn peirianyddiaeth drydan yn yr ysgol, roedd gennym gyfrifoldebau eraill yn y gwersyll, fel bod yn *Guard Commander* drwy ambell noson, gofalu fod milwyr yn glanhau eu hystafelloedd ac yn y blaen, ac ambell dro addysgu rhai mewn dril ar y sgwâr. Wel, unwaith y bu raid i mi wneud hynny – a gwnes dipyn o smonach ohoni. Pan fo sgwad o filwyr yn martsio o dan eich rheolaeth ac ymhell oddi wrthych, hawdd yw drysu rhwng y chwith a'r dde wrth roi gorchymyn i droi. Dyna fy esgus i beth bynnag, am roi gorchymyn a achosodd i'r rhai yr oeddwn i'n eu drilio fartsio i fyny'r grisiau llydan at ddrysau'r adeilad mawreddog, lle pendwmpiai penaethiaid y gwersyll dros eu coffi boreol. Wedi llai na deg eiliad ymddangosodd y *Regimental Sergeant Major* a gweiddi, *'What do you think you are doing, Morgan?'* Camenwai fi er fy nyfodiad i Brompton, fy nghymysgu efo Cymro arall a groesodd ei sgwâr rywbryd mae'n debyg. Wnes i ddim tynnu'i sylw at ei gamgymeriad rhag ofn y byddai o fantais imi rywdro. A dweud y gwir, mi gofiaf weld y cyfenw Morgan ar Orchmynion y Sgwadron rai gweithiau, i gyflawni dyletswyddau, ond yn gyfleus iawn cymerais yn ganiataol mai rhywun arall a olygid, ac ni chwynodd neb.

Roeddem yn gyfrifol am sicrhau fod y milwyr yn glanhau eu hystafelloedd; un gyda'r nos, bob wythnos, wedi'i neilltuo at hynny, a deiliaid yr ystafell bob un efo swydd arbennig, fel glanhau llawr, ffenestri, waliau ac yn y blaen. Un tro o'r fath, daeth Len, un o'm cyd-swyddogion ataf mewn braw. *'For Christ's sake,'* meddai, *'come to help me, but don't shout at him.'* Dilynais o i'r ystafell a gweld Ivor, rhyw foi bychan, tenau o'r Rhyl, yn sefyll ar y silff gul yr ochr allan i ffenestr gaeedig, ar y trydydd llawr efo'i gadach yn golchi'r gwydr. Doedd neb wedi breuddwydio i Ivor lanhau'r ochr allan. Ond dyna lle roedd o, ac wedi cau'r ffenestr arno'i hun. Ein problem ni oedd cael Ivor i'r ystafell mewn un darn. Aeth y sgwrs rywbeth fel hyn: *'Hello, Ivor, you've done a lovely job. It's OK now, you'd better come in. That's fine. We'll help you. There's a good lad. You hang on to the side and we'll lift the bottom part.'* Dyna beth a wnaethom, codi'r gwaelod yn araf, nes bod coesau Ivor o fewn ein gafael. Rhoddais fy mreichiau yn llac amdanynt a'i annog i blygu i lawr yn ofalus, gan nad oedd yno fawr ddim iddo afael ynddo. Llwyddodd y cynllun, glaniodd Ivor ar lawr yr ystafell, a newidiodd tôn lleisiau Len a minnau i waedd o, *'What the bloody hell did you do that for?'*

Edifar

Yr unig gyfle a gawn i ymlacio yn Chatham oedd ar nos Lun, pryd yr âi tri neu bedwar ohonom i ganu mewn côr a fyddai'n ymarfer yn Neuadd Eglwys St. Mark's, Gillingham. *The Pembrokeshire Choir* oedd enw'r côr a arweinid gan *Major* Arnold, gŵr bonheddig a oedd yn llifeiriant o frwdfrydedd a doniolwch. Gwnâi rigymau byrfyfyr, doniol, am aelodau'r côr, nes na allem ganu nodyn gan chwerthin weithiau, a haeraf y byddai clwt tamp ar ambell i gadair. Nid y gallwn i, wn i ddim am fy nghyd-filwyr, ganu o gwbl. P'run bynnag, cefais y fraint o brofi'r wefr o gael fy nghario ar fôr o gân mewn côr. A bod yn onest, rhan o'r atyniad i'r côr oedd y genethod tlysion ymhlith yr aelodau. Roedd un eneth â llais fel eos, a byddai cais bob tro am iddi ganu'r unawd *'Because you're mine'*. Byddem yn mwynhau rhoi cyngherddau, at achosion da yn bennaf.

Trwy fynd i'r côr y deuthum i adnabod Mr a Mrs Gwyther, pâr sbel dros eu canol oed. Hi oedd cyfeilyddes ddawnus iawn y côr, a'i gŵr yn ddyn distaw, y teimlais o'n cyfarfyddiad cyntaf fod mwy o ddyfnder iddo nag a ymddangosai ar yr wyneb. Deuthum i'w hadnabod yn well pan gefais wahoddiad i'w cartref i ginio dydd Sul unwaith, a darganfod eu bod yn Ysbrydegwyr. Wrth gerdded, pan aeth Mr Gwyther a minnau am dro ar ôl cinio, eglurodd beth a'i darbwyllodd o wirionedd 'dimensiwn arall'. Oddeutu pum mlynedd yn gynharach bu rhaid iddo fynd i ysbyty mewn cyflwr enbyd. Yn ystod llawdriniaeth gymhleth a hir cafodd y teimlad, nid anghyffredin, o fod y tu allan i'w gorff yn gwylio'r gwaith yn mynd ymlaen arno ef ei hun. Yna daeth yn ymwybodol o fod yn ei gartref, gan weld mewn manylder beth yr oedd ei wraig yn ei wneud ar y pryd. Yn hwyrach, wedi iddo adennill ei ymwybyddiaeth normal, a'i wraig yn eistedd wrth ei wely, dywedodd wrthi am ei brofiadau rhyfedd. Wrth iddo sôn am yr hyn a welodd yn eu cartref, cadarnhaodd Mrs Gwyther gywirdeb ei dystiolaeth. A bu'r profiad hwnnw'n ddigon i argyhoeddi'r ddau y gall y meddwl fodoli yn annibynnol o'r corff ffisegol. Cefais wahoddiad i fynd gyda nhw i gapel yr Ysbrydegwyr ar ôl te. Ymesgusodais gan ddweud fod gennyf lawer o waith cartref. Aeth pymtheng mlynedd heibio cyn imi fynychu capel Ysbrydegwyr ym Mae Colwyn, a dechrau ymddiddori yn y paranormal, maes a roddodd imi lawer iawn o foddhad wrth ei archwilio byth oddi ar hynny.

Roedd teuluoedd eraill hefyd a'n croesawai ni, filwyr alltud, i'w cartrefi. Rhai arbennig iawn oedd George a Mrs Dungey a'u merch Joy. Gweithiai George, a oedd wedi bod yn y Llynges Frenhinol am ddeng mlynedd ar hugain, yng ngorsaf bŵer yr ysgol. Treuliais ychydig ddyddiau yn fy nghynefin milwrol gynt, yn Chatham a Gillingham, ddwy flynedd yn ôl, ac aeth George a minnau i hen adeilad yr ysgol, sydd bellach yn amgueddfa, i hel atgofion a hiraethu am amser fy nghaethiwed anfodlon gynt.

Diddorol i mi oedd darganfod mai pobl o dde Cymru a sefydlodd y *Pembrokeshire Choir* pan aethant i weithio i byllau glo Caint yn ystod y dirwasgiad yn nau a thri degau'r ganrif ddiwethaf. Disgynnydd o'r teuluoedd hynny, mi gredaf, oedd Gloria, aelod o'r côr, geneth hynod o annwyl, y cerddais drwy'r perllannau ar gyrion Rainham gyda hi yn ystod y gwanwyn cyn imi ddianc yn ôl i Gymru. Cofiaf un noson arbennig a'r petalau pinc, dan awel hud, yn disgyn trosom fel cawod o gonffeti. Buom yn llythyru am rai misoedd, ond daeth hynny i ben yn ystod fy mlwyddyn gyntaf yn y Brifysgol oherwydd atyniadau newydd.

Balchder a hiraeth

Roeddwn wedi hel cymaint o geriach yn Chatham fel na allwn gario popeth adref ar y trên, a chefais fenthyg cerbyd fy rhieni i fynd yn ôl yno am fy chwe wythnos olaf. Bu'n hynod o gyfleus i fynychu'r *Medway Tech.* adeg f'arholiadau terfynol, a chrwydrais gydag eraill yn y car i sawl rhan o Gaint – Caergaint â'i chadeirlan ysblennydd, Herne Bay â'i draeth fel Abersoch, Dover â'i greigiau gwynion, Hastings a

Battle, lle pery'r frwydr o hyd, pentref hyfryd Hythe â'i ffordd o gerrig crynion yn disgyn i'r harbwr cysglyd, a llawer o leoedd eraill.

Pan ddaeth diwrnod mawr fy rhyddhad o'r Fyddin ni allwn gredu, a theimlwn groestynnu enbyd. Llŷn a Bangor yr oeddwn wedi hiraethu cymaint amdanynt yn tynnu un ffordd a chyfeillgarwch a chysylltiadau trefydd y Medway yn fy nal.

Gadewais Brompton Barracks am ugain munud wedi saith fore Mercher, Gorffennaf 13, 1956, trwy Lundain, cyn adeiladu'r traffyrdd, ar hyd yr A5 i Fangor, ac yn syth ymlaen i Bwllheli erbyn chwarter wedi dau. Diwrnod marchnad, a'r dref yn ferw o fywyd. Parcio a cherdded strydoedd cynefin fy mhlentyndod cul, i chwilio am Nain, a oedd wedi addo bod yno i'm croesawu. Nain a oedd wedi gwneud teisen siocled bob wythnos a'i gyrru imi gyda llythyr gan Mam tros fy nwy flynedd i ffwrdd. A chan nad oes yn nhref Pwllheli lawer mwy na Stryd Fawr, Stryd Moch, Stryd Pen-lan a'r Maes, ni fu'n hir cyn i Nain a minnau gyfarfod yn llawen, a mynd am de i gaffi Miss Parry fel ar bnawn Mercher pan oeddwn yn Ysgol Central saith mlynedd yn gynharach. Yna, ymlaen i Dyncae i ddathlu fy nychweliad efo Dad, Mam a Rowena, cyn gwibio ar fy meic i Borthneigwl, galw yn Nharallt ac ymweld â'm cyfeillion yn Llangïan a phellach. Pawb eisiau clywed straeon y milwr dewr, a minnau'n ychwanegu dipyn o sbeis yma ac acw, mae'n siŵr.

Cyfle

Wedi cynefino eilwaith â gogledd Cymru dechreuais ystyried fy nyfodol. Roedd gennyf bythefnos o wyliau cyn dychwelyd i weithio efo Manweb ym Mangor. Yno, es i fyw efo Mr a Mrs Thomas (rhieni Trefor, y soniais amdanynt yn gynharach) yn 9 St Paul's Terrace, lle bûm yn hynod o hapus, er fy mod wedi tyfu'n dalach na'r job yn adran mesuryddion Manweb erbyn hynny.

Gartref wrth y bwrdd cinio un dydd Sadwrn dros blatiad o jips, holodd fy nhad beth a hoffwn wneud yn y dyfodol. Dywedais y dymunwn fynd i brifysgol. 'Dos i weld Tomos Person pnawn 'ma. Mae o'n gwbod sut i fynd o'i chwmpas hi,' meddai. Roedd Rheithor y Plwyf, y Parch. A. O. J. Thomas yn raddedig o Rydychen, ac yn ddyn hynod o glên a chymwynasgar. Es i'w gartref yn syth ar ôl cinio a chefais ganddo gyfeiriadau amryw o brifysgolion lle roedd cyrsiau mewn peirianyddiaeth drydan ac electroneg. Penderfynais ganolbwyntio ar Goleg Prifysgol Cymru, Bangor. Ysgrifennais at y Cofrestrydd a chefais ffurflen i ymgeisio am le ar y cwrs Electroneg gyda Ffiseg a Mathemateg. Llenwais y ffurflen a'i phostio yng Nglan Dwyfach ar y ffordd i edrych am deulu Llanllyfni efo Nain.

Wythnos neu ddwy'n ddiweddarach, gwahoddwyd fi i ymddangos o flaen Senedd y Brifysgol. Roeddwn yn grynedig braidd o flaen y dwsin, oll yn eu gynau duon academaidd. Rhai'n fy holi am fy ngwybodaeth o lenyddiaeth Saesneg a pha bapurau dyddiol a ddarllenwn; rhai'n awgrymu nad oeddwn yn addas i yrfa yn eu coleg, ond diolch iddo, yr Athro M. R. Gavin (Electroneg) yn achub fy ngham bob tro, a chefais y cyfle yr oeddwn wedi dyheu cymaint amdano. Dychwelais i Manweb a Llŷn gyda balchder newydd, fel darpar fyfyriwr Coleg Prifysgol Cymru.

Roeddwn o'r diwedd ar y ffordd i ddileu effaith blynyddoedd o'm cyflyru i gredu nad oeddwn yn ddigon clyfar i ddringo grisiau addysg uwch. Yn fuan ar ôl cael fy nerbyn, roeddwn yn weirio cloc trydan i Miss Jones yn y Siop. Gwisgwn ofarôl, pan ddaeth Mr a Mrs Beck, byddigion o Birmingham, i mewn. Teulu mawreddog braidd eu hagwedd a fu'n aros yn Nhyncae fel ymwelwyr haf flynyddoedd cyn hynny. Sgwrsient efo Miss Jones tra awn i ymlaen efo'r gwaith. Holodd y wraig amdanaf, gan sibrwd, wedi amau mai fi oeddwn, *'He's the lad from the farm isn't he? He's managed to become an electrician then?'* meddai Mrs B, â'i thrwyn i fyny. A Mem yn amddiffyn un o'i gwerinos gyda'i cherdyn trymps. *'Yes,'* meddai, *'he's passed lots of exams, and he's going to the University next month, you know.'*

Ehedodd yr wythnosau nesaf yn sgil fy mharatoadau i fynd i'r Coleg ar y Bryn, a chyrhaeddodd y diwrnod cofrestru yn Neuadd Prichard-Jones (PJ). Mam aeth â fi, a'm gadael wrth y Porth Coffa, i gerdded i fyny'r llwybr ar fore braf. Wedi cyrraedd y palmant, sydd o flaen prif adeilad y Coleg, arhosais ennyd i gael f'anadl gan droi a syllu ar Ddinas Bangor islaw, a bryniau Eryri yn y cefndir, a'm harfordir o atgofion ar y chwith. Ac yno am ychydig eiliadau cefais deimlad rhyfedd, fel petawn ar ddechrau llwybr newydd a arfaethwyd imi gan ryw rym cyfriniol, a minnau yno'n syml i gyflawni'r rheidrwydd hwnnw.

Roedd fel Ffair Borth yn neuadd enfawr PJ, pob adran efo'i stondin i'r darpar efrydwyr gofrestru am wahanol gyrsiau, Undeb y Myfyrwyr yn denu aelodau, a llu o fudiadau, stondin yn gwerthu dillad colegol, a gynau academaidd yr oedd yn rheol i'w gwisgo mewn dosbarthiadau 'Top Col', yn y Llyfrgelloedd, ar y stryd ac mewn arholiadau.

Athrawon ac efrydwyr Adran Electroneg Prifysgol Cymru, Bangor, 1957.

Roeddwn bellach ar ben fy nigon, wedi trechu'r hen deimlad o israddoldeb y'm cyflyrwyd iddo yn ysgol Mynytho ac a gadarnhawyd adeg y sgolarship ym Motwnnog, ac a waethygwyd gan fy nyddiau cynnar ym Manweb a'm carwriaeth gyntaf.

Ffaith ryfedd mewn bywyd yn gyffredinol yw fod cyfnodau o sychder mawr a chyfnodau eraill o ddilyw. Ac nid yw byd serch yn eithriad fel y gwelais wedi dechrau yn y Brifysgol. Gellid cyffelybu bachgen, a fynychai'r *Hop* yn Neuadd PJ ar nos Sadwrn i wenynen yn disgyn i ardd yn llawn o flodau, gan yr âi yno yn ogystal â merched y Brifysgol, rai'r Coleg Normal a'r Santes Fair. Doedd dim angen i neb allu dawnsio yn y PJ gan nad oedd cyfartaledd llwybr rhydd (*mean free path*) ddim mwy na hanner metr. A maes trydanol miwsig rhythmig y band swnllyd yn ioneiddio'r atomau parod. Yn ôl rheol siawns a thebygolrwydd roedd rhai yn paru, ac felly y dechreuodd carwriaeth y ferch bedair ar bymtheg oed o Gyffordd Llandudno a minnau. Yr eneth a ddywedodd mai garddio oedd ei diddordeb, ac y darganfûm yn fuan fod ganddi lais soprano rhagorach na'r eos, a'm swynodd, a gallu cerddorol hynod hefyd.

Gadawodd Myfanwy i fod yn athrawes yn Llundain flwyddyn cyn i mi ddarfod fy nghwrs gradd, a'i galluogodd hi i raddio yn y *Royal Academy of Music*. Collais ei chwmni hwyliog, ond parhaodd ein cyswllt, trwy gyfrwng llythyr, ffôn bob nos Iau, a recordiau ar dâp, nes i mi ymuno â hi yn ei hardal newydd ar ddiwedd fy ngyrfa golegol.

Goleuo Pen Llŷn

Yn ystod fy ngwyliau haf hir o'r Coleg ar ddiwedd fy mlwyddyn gyntaf a'r ail, cefais waith gan Manweb yng nghanolfan Pwllheli. Rhoddodd hynny foddhad mawr imi; oblegid y cymeriadau lliwgar a weithiai yno a natur fy swydd, a oedd heb fawr o gyfrifoldeb. Y rhai y gweithiwn yn uniongyrchol â nhw oedd Bob Gruffydd, y prif beiriannydd, ei gynorthwywr R. T. Jones, a David Bott, dyluniwr. Tîm da. R.T. oedd ffynhonnell gwybodaeth dechnegol, David Bott yn cadw cofnodion manwl â'i ddyluniadau cywrain, a Bob Gruffydd y pennaeth rhadlon, yn oelio'r peirianwaith â'i gyfeillgarwch gyda phawb yn Llŷn. Ond tri o bropiau pwysicaf Manweb ym Mhwllheli ar y pryd, mi deimlwn, oedd Miss Jones Nefyn (clarc a wyddai bopeth am bopeth ac a gadwai drefn ar bawb), Dilys Jones (teipydd, cyfrifydd a gariai'r siop offer trydan yn ddiweddarach) a Jac Pritchard (y fforman tymhestlog a haerai'n aml nad oedd ei weithwyr yn haeddu cyflog ar ddydd Gwener, ac na fyddai ef yn talu iddyn nhw 'mewn blydi washars'). Aelodau eraill y teulu trydanol a gofiaf yw Bryniog, Tomos Cricieth, Ela, Mair, Luned, a Twm Moss (storwr a storïwr ffraeth.)

Dyma'r cyfnod o ledaenu cyflenwad trydan i ardaloedd gwledig am y tro cyntaf, a theimlaf iddi fod yn fraint i mi fod yn gysylltiedig â'r gweithgarwch hwnnw yn ardal fy mhlentyndod. Yn ystod y ddau haf olynol o'r coleg cefais nid yn unig fwynhau cwmni gweithwyr Manweb ond hefyd gyfle i adnabod daear Llŷn a'r bobl yn llawer gwell na chynt. Rhan o waith David Bott a minnau oedd ymweld â phob tŷ a fferm i ofyn a oeddynt eisiau cyflenwad trydan, ac ar bwys ymateb cadarnhaol, penderfynu sut i fynd a gwifrau yno. I'r perwyl hwn gollyngid David a minnau efo map i gerdded ar draws cyfran helaeth o gaeau Llŷn ar dywydd bendigedig. Aethom â bwyd a diod y diwrnod cyntaf, ond dysgasom nad oedd angen hynny, gan y cynigid inni de a bara brith neu ginio gan breswylwyr caredig bron bob tŷ lle y galwem. Doeddwn i erioed wedi sylweddoli fod gen i gymaint o berthnasau chwaith. Wrth gerdded y caeau gwelsom olygfeydd natur na wyddwn am eu bodolaeth cynt, a chawsom ambell brofiad rhyfedd hefyd. Yn naturiol iawn, disgwyliad pawb yw i ymwelwyr gyrraedd o gyfeiriad y ffordd fawr, a phan ddaeth dau foi efo map i'r golwg yng nghefn y tŷ diarffordd cafodd y genethod del oedd yn torheulo'n noeth dipyn o fraw fel ninnau. Cadwaf y cyfeiriad yn gyfrinachol.

Ambell dro caem ateb annisgwyl i'n cwestiwn, ''Dach chi isio letrig 'ma?' fel gan un hen wraig. 'Wel, mi fasa'n handi iawn imi i weld i roi oel yn y lamp.'

Achos trist oedd hwnnw yn nhŷ hen wraig a oedd 'wedi colli'i marblis' braidd. Eglurodd inni'n ddifrifol iawn fel y rhoddai'r ferfa allan i bori bob dydd, ac yn wir gwelsom y ferfa ar y cae wrth dennyn a stanc. 'Rhag iddi ddengid,' meddai'r hen wraig, a ninnau'n cyd-weld â hi gan frathu'n gwefusau rhag chwerthin, gan feddwl fod yr hen greadures angen amgenach goleuni nag a allem ni ei gynnig.

Nid dyna'r unig achos trist a welsom, a theimlaf yn edifar hyd heddiw am imi beidio â chynnig helpu. Bwthyn unig yn ardal Boduan. Hen wraig yn ateb y drws a'n croesawu i'r gegin. Yno, mewn cartref llwm iawn, roedd ei gŵr methedig mewn cadair olwyn, oherwydd ei glwyfau yn y Rhyfel Byd Cyntaf eglurwyd inni. Mewn ymateb i bwrpas ein hymweliad, atebodd yr hen wraig y byddent yn hoffi cael y 'letrig' yn fawr, ond na allent fforddio'r tâl cysylltu a weirio, hyd yn oed i un lamp. Gallaswn mor hawdd fod wedi dweud y gwnawn i . . . Ond wnes i ddim.

Ar ddydd derbyn fy anrhydedd.

Gweithiais yn or-galed ar fy mlwyddyn olaf yn y Brifysgol, heb fynychu'r *hop* ar nos Sadwrn mwyach, na chael fawr o adloniant gan mor bwysig y cyfrifwn f'arholiadau terfynol, a'm galluogai i gael swydd yng nghyffiniau Llundain, mi obeithiwn.

Cofiaf y rhyddhad o wybod imi lwyddo ym mhob arholiad, yr alwad ffôn mewn cyffro i'r ysgol yn Llundain lle roedd Myfanwy yn athrawes, a'r balchder a'r llongyfarchion gartref ac yn Llangïan, a Mam yn mynnu rhoi *BSc (Hons)* ar fy llythyrau cyn defod y capio.

Daeth ein diwrnod mawr, a Nain a Mam a Dad yn bresennol i wylio'u hogyn bach yn derbyn ei anrhydedd am ei lafur a'i ddyfalbarhad, chwedl Charles Evans, y Prifathro a oedd hefyd wedi dringo Everest.

Yna, yng ngwisg fy urddas newydd, es i ganolfan Manweb, i ddangos fy hun mae'n siŵr, ond hefyd i ddatgan fy niolch i bawb, yn arbennig i Trefor. Roedd Heulwen wedi ymadael erbyn hynny.

Adlewyrchiad

Wedi cyrraedd f'uchelgais addysgol, bûm mor ffodus â chael cyflog ac amodau da am wneud yr hyn a'm diddorai fwyaf, sef ymchwil wyddonol, a dyfeisio cyfarpar newydd yn gysylltiol â'r diwydiant cynhyrchu a chyflenwi ynni trydan. Beth a allai fod yn well imi nag ennill bywoliaeth trwy ddyfeisio 'gajets', fel y dechreuais yn Ysgol Central?

Yn wir, bûm mor brysur yn mwynhau hynny, yn ymdrechu i wella fy safle yn fy ngwaith, magu plant, datblygu organau, mynychu eisteddfodau a chyngherddau efo'm gwraig, a gwella tai, nad oedd lawer o amser i fyfyrio. Ond wedi imi droi deugain oed a llaesu dwylo dipyn, credaf i'r duedd o hel atgofion gryfhau ynof gyda phob blwyddyn a âi heibio. Fel arfer, person, man arbennig neu achlysur sy'n symbylu'r atgof. Dro arall, ymlithra atgofion o wyll y gorffennol heb unrhyw reswm amlwg, yn aml pan fyddaf yn gwneud gorchwylion nad ydynt yn gofyn am lawer o egni meddyliol, fel palu gardd, torri glaswellt, golchi llestri neu addurno ystafell.

Bydd y mwyafrif o'r 'breuddwydion' hyn yn atgynhyrchu teimladau boddhaus, atgofion am wrhydri neu lwyddiant, ond weithiau daw rhai a wna imi deimlo'n hiraethlon, yn hunandosturiol, yn euog neu'n edifar am rywbeth a wnes, neu gan amlaf a fethais â'i wneud pan gefais gyfle.

Credaf, ar bwys fy hyfforddiant a'm profiad fel seicotherapydd ar ôl imi droi hanner cant fod y 'breuddwydio tra'n effro' hwn, fel y math a ddigwydd mewn cwsg, yn llesol i'n hiechyd meddyliol ni. Ymhellach, gellir cryfhau effeithiolrwydd y therapi trwy rannu'r profiad gydag eraill. Dyna un cymhelliad i adrodd ein storïau wrth ein gilydd, mae'n debyg. Ac os yw'r cyfathrebu yn llwyddiannus, gall y gwrandawr hefyd deimlo peth o'r llawenydd neu'r pathos, a oedd ynghlwm â'r digwyddiad gwreiddiol, ac efallai ymateb trwy gofio ac ailbrofi achlysur cyffelyb yn ei fywyd ei hun.

Mantais o gofnodi hanes, trwy unrhyw gyfrwng, gan gynnwys barddoniaeth, yw y gall yr awdur ei ddefnyddio i ail-fyw ei brofiadau, yn ogystal â chael boddhad ychwanegol o rannu ag eraill. Mae barddoniaeth yn gyfrwng hynod o effeithiol i rai, gan y gall grym adnoddau geiriol ddwyn teimladau o lefelau is-ymwybodol. Dichon mai mathau eraill o gelfyddyd sy'n cael effeithiau therapiwtig ar eraill. Nid yw'n anodd, er enghraifft, ddychmygu'r wefr a deimla cyfansoddwr cerddoriaeth wrth wrando ar berfformiad o'i waith. A theimlais innau beth o rin miwsig a greodd un agos imi unwaith.

Er imi fod yn eithaf bodlon ar lawer o bethau a wnes yn fy ieuenctid ac wedyn, ni allaf gytuno'n llwyr ag Edith Piaf yn ei chân boblogaidd – *'Non, je ne regrette rien'*. Gofidiaf am amryw o bethau, gan gynnwys fy rhan yn nherfyniad swta carwriaeth gyntaf fy mywyd, er imi elwa'n fawr iawn o'r profiad.

Rwyf yn argyhoeddedig erbyn hyn mai damweiniol hollol yw'r rhan fwyaf o ddigwyddiadau serch, ond weithiau wrth fyfyrio edifarhaf am beidio â gwahodd Awena i rannu cyfoeth fy nghynefin yn Llŷn. Yno, byddwn yn fi fy hun, hyderus, ac efallai y byddai hi wedi hoffi dod efo fi i fyny Allt Greigir, i lan môr Porthneigwl, i'r Morfa i bysgota, i weld crëyr a dwrgi a hwyaden wyllt efo'i chywion, i glywed y gog a rhegen-yr-ŷd, ac i ogleuo mintys ffos y Weirglodd. Roedd gen i bâr o *wellies*, rhag iddi gael mwd ar ei hesgidiau; a gallwn fod wedi ymddiheuro fod sawr gwartheg ar Dad, fod waliau'r tŷ yn igam-ogam, a bod ein 'lle chwech' ni yng ngwaelod yr ardd.

GWAHODDIAD HWYROL

Pan ddawnsia gwyryf gwanwyn i Ben Llŷn
a tharth o feillion atgof yn ei chôl,
ddoi di, Awena, unwaith i'r lle fu'n
baradwys fy ieuenctid, ofer, ffôl?
Dangoswn iti flodau'r ddraenen wen
yn gwrido megis grudd ein cyntaf oed,
a briallu o liw'r tonnau fu ar dy ben,
hyd ymyl afon fy mhlentyndod ddoe;
deugain Clamai a aeth heibio. Duw a ŵyr
pa forthwyl dur chwilfriwiodd degan serch –
dy brentis brau. A anghofiaist ti yn llwyr
y llabwst efo'r tafod plwm? Fy merch,
pe deuit gyda mi i sipio'r medd,
diflannai'n llwyr y rhychau sy ar ein gwedd. (1990)

Yr Awdl

FFLAMAU

1

Ym moreddydd fy mreuddwyd,
angyles fy nghalon a grëwyd.
Blodeuwedd wyrf a ffurfiwyd
yn noeth o friallu nwyd.

Main ferch, a minnau'n farchog,
yn awchus i'w hachub ar riniog
castell rhyw rith asgellog,
â chleddau llym grym y Grog.

O gad gyfarwydd Gwydion,
yn afanc y nofiwn yr eigion
(yn ewach ddewin eon)
o Gaer Hud i garu hon.

*   *   *

Dan odre ei diniweidrwydd. . .
Clamai cyn clymau y tagwydd,
heb un rhemp na rhaib, yn rhwydd
o wasgu'i phen ar f'ysgwydd.

Llinos ar ymyl llwynau,
a burum y bore mewn blodau;
heb aerwy na chyfrwyau,
a'r awen yn frwynen frau.

*   *   *

Yr achlust rôdd ffust ar ein ffawd,
dyrnu nes darnio ein hanawd.
(Onid cnul i uniad cnawd
wna'n wallus gampus gwmpawd?)

Rhewynt rhagrith yn nithio;
ofergoel o fargod yn ceibio,
finnau'n grach ar fin y gro,
yn dân, ond yn edwino.

Gwyddon heb lamp gwyddoniaeth,
a magwyr yn mygu f'athroniaeth;
a'r ddawn ym mae barddoniaeth
yn drai annhymig ar draeth.

* * *

Garw oedd fy hil a lithiai 'nghywilydd,
a'i lle yng nghilfach y lloi anghelfydd.
Rhai a gronnai laid a biswail a budd,
yn ochain-gwyno am fychan gynnydd.
Crafwyr fu'n dical crefydd, rhai carbwl,
y lleygwyr dwl a fu'n llygru'r dolydd.

Yn fab cyndyn eu hemyn a'u hamaeth,
a dalodd grocbris am ei brentisiaeth. . .
Yn wamal herwr i demlau hiraeth,
hen wg a'm dygodd o'm gardd gymdogaeth,
i naddu peirianyddiaeth; crap-sgolor,
un oen ar oror, prin ei arwriaeth.

* * *

Ei llygaid yn danbaid enbyd
dreiddiodd at ruddin fy nghynnud.
Adda, ac Efa hefyd
ar amws Fenws yn fud.

Croes felys a thafl-gusan
a hysiai . . . O Iesu fy mhurdan!
O'i nesâd hi ysai tân
fy enaid gwêr fy hunan.

* * *

Y noson risial honno
a Mai yn grai er y gro...
Anafon serch, afon swyn,
yn ferw i mi a'r forwyn,
a heulwen o lawenydd
yn daer yn llygaid y dydd.

Fflur y mêl lond afflau'r maes,
ŵyn breglyd dan lwyn briglaes.
Y gorlif o dan gwrlid
a llun fy rhosyn yn wrid.
Ni ein dau ar derfyn dydd
ar adain gyda'r hedydd.

Blys adfer yn blas, adfail
(yn dŷ efo muriau dail),
ac aros rhwng ei gaerau,
heb raid dim, dim ond ni'n dau,
o'r byd yn glyd; llofft heb glo,
a grisiau'r graig yn groeso.
Yr hebog gwyd fel roced
a'n hofn gydag o a hed;
o guddfan sawr y gwyddfid
yn y tes heb gymryd hid.

O'r nef yn llyfr hynafol,
llif o sgri fel inc ar sgrôl.
Mewn cawell rhua'r ellyll,
yn y cwm wrth fonau'r cyll.

Dan ddibyn, odyn odiaeth,
galcha'r llyn dan glychau'r llaeth.

Y gwawl o gytser ei gwallt –
Orïon tw' arna i'n tywallt.

* * *

A'r sidan eto'n annog,
y cwrddyd, y cerdded ar fwsog
â'r Ddwynwen yng Ngorddinog. . .
Gwenyg aur uwch gwain y gog.

Mellten o allor torlan;
dwy garreg, dau gariad yn syfrdan.
Un waith, gwyrth saffir yn wân,
yna, cofio yw'r cyfan.

Fel geifr o'r Foel o gyfrin,
a hithau yn goethach na'r eithin;
yn argel Nant-y-Felin,
lleufer gallt lle llifa'r gwin.

* * *

Drwy'r adwy i dir mwyar,
i labrinth o lwybrau edifar;
dau fu'n nesáu ar nos wâr,
o brysgoed yn rhai brysgar.

Er ei mêl lle crwydra'r myllt,
hofranna'i chyfrinach fel cudyll,
tangnef fel dryw yn sefyll
tan y gwar ger twyni Gwyllt.

Yn goeg-falch yn Nwygyfylchi,
gofal wna'r gafael yn gyni.
Fy ngwyryfol addoli,
a gwae nerf dan f'argaen i.

Bryn Du yn gymen a bron dan gwmwl;
heno'r afagddu yn maeddu meddwl;
ffriddoedd ein nefoedd dan glog o nifwl
yn denu'r bwgan i dyno'r bygwl.
Cur mud yw cur cau'r mwdwl, yn dilyn
ei hoer ddyfyn ar lethrau Erddifwl.

* * *

Noddfa i lwdn anaeddfed
oedd coleg, ddydd celyn ei dynged.
Unigrwydd llwydd yn y lle
dan ofwy du 'neunawfed.

Clindarddach dychan gynn dân dadeni;
llywydd fy nig yn lladd fy niogi.
Uchelgais yn llais, gwenfflam yn llosgi
i danio fy mhlisg nes dwyn fy mloesgni.
Yn hwyrol, penyd ymholi. Danad
yw nyth hen gariad a hithau'n gori!

II

O'n doe fel Ffenics â dwyfol ffyniant,
cariad heb ddannod o lwch difodiant,
yn bur ar gyfyl ein hebargofiant.
A'm cynnar gefnfor yn ddim ond cornant
mynnaf fegino'r mwyniant ddiffoddwyd;
dal breuddwyd falwyd liw nos adfeiliant.

Rhy gwta fu'r awr ar gytir,
anodd oedd rhannu fy nhyndir
o fawnen hefo'r feinir.
Ai rhy hwyr er galar hir?

*   *   *

Yn nain, tyrd heno mewn hun
i yfed, yn ifanc, o'm gwydryn,
fedd yr hedd sydd yno'n hŷn,
hynawsach na'm hanesyn.

Yno i bawb o'r 'hen bobol',
i Lŷn cyflwynaf di'n wrol.
Dau mewn trafferth aberthol
a gem o Salem mewn siôl.

Hen wraig yn chwys yr Aga,
yn crasu ein croeso'n y 'bora'.
Cyn gosper ein swpera
cawn brynhawn yng nghôl ein ha'.

Hir-hydion drodd gyffro'n gur.
O brysia i'r waun brysur. . .

Cân ing o waed cwningen.
Ai argoel yw argan colomen?
Ysgall hoen yn dysgu llên;
'molchaf mewn cerdd mwyalchen.

Bronwen, a thon y gwenith
yn frig o laeth efo'r gwlith.

Deusain bill uwch mill a meillion,
odlau o adlam acenion;
côr cynneddf yn lleddf a llon,
yn hyfrydlais afradlon.

Yr afon yn feddw lonydd,
a'r gwawn yn ariannu'r gwŷdd.

Edrych ar y drych drwy'r drain!
Ai delw o'r dulyn ai celain?
Un a huda dan adain
twyll, darged ei fwled fain.

Myfyriwr y merddwr mud
a symia'r dasg cyn symud.

Ffwdan gwan o rai gwinau
yn dilyn mam dila'i chymalau. . .
Aethus clwyf ei thusw clau
o newydd euron wyau.

Plannu o'n syllu mewn sill,
obry fel grawn yn Ebrill.

Lês gain yw rhwydwe'r gleiniau,
o geulan am golyn – pais angau.
Y dagell dan bidogau
yn gwingo er cripio'r crau.

Hynotaf blymiwr natur,
yn y dwfn yn ebill dur.

Nid af hebot i 'sgota
eleni ar lynnoedd y Morfa –
erddi dof y dyfroedd da;
i Ddwylan awn i ddala.

Gorau'n hwyr, a'r gêr yn hen,
i gelu cast gwialen.

Awn ag aidd gan chwipio'r gwyll,
a'r bonddu'n brathu'r brithyll. . .

*　　*　　*

Ennyd yw afiaith ein dydd,
a benna ar obennydd.

III

Ar hap cyn llosgi'r papur,
ar fore rhyw 'fory'n aneglur
y gwêl – 'Yn dawel o'i gur. . .'
â'i dwylo'n addef dolur.

Heb 'nabod neb, i'm hebrwng
daw i blas, â blodau blwng
o'n hadfail di-sail , di-sôn
yn orielau'r awelon.

Y llen gwrtais guddia'r ffwrnais ffyrnig,
ar derfyn, yn nawdd i'r dorf anniddig;
y sôn am oes, a mwrn seiniau miwsig. . .
Hithau dros fryniau â'n chwim forwynig.
Rhed at ein ffrwd ferwedig, a'i hunan
yn dân o gusan ar osteg ysig.

DIWEDD